SOFIA A. SOULI

La VIE AMOUREUSE
DES
GRECS ANCIENS

EDITIONS
TOUBI'S ®

Textes: *SOFIA A. SOULI*

Transcription des vers et des épigrammes du grec ancien: *SOFIA A. SOULI*
Page de couverture: *PANTELIS ASIMAKOPOULOS*

Supervision artistique: *NORA ANASTASOGLOU*
Mise en page, montage, impression: *ARTS GRAPHIQUES M. TOUBIS S.A., tél. (01) 9923874*
Supervision de l'édition: *SOFIA A. SOULI, MARIA LIAKOU*

2 - 2000

INTERNET: http://www.toubis.gr

tableau chronologiqu

Première civilisation d'Europe, en Crète	3.200 - 1.200
Arrivée des premiers Grecs indo-européens en Grèce	3.000 - 2.000
Installation des premiers Grecs (probablement des Ioniens) sur le continent:	2.000
Installation des Achéens en Grèce	1.750
Écriture linéaire A, en Crète	1.570
Époque mycénienne. Installation des Achéens en Crète	1.550 - 1.200
Écriture linéaire B. Destruction des palais en Crète	1.450 - 1.400
Arrivée des Doriens en Grèce Première colonie grecque sur les rivages d'Asie Mineure	1.200 - 1.100
Épopée Homérique	850
Deux siècles et demi d'essor de la poésie lyrique (Sappho, Pindare, Callinos, Mimnerme, Théognis etc.)	700 - 450
Lois de Solon	594
Chute de la tyrannie avec l'assassinat du tyran Hipparque par Harmodios et Aristogiton	514
Établissement de la démocratie à Athènes	510

de l'antiquité

Durant plusieurs millénaires, la Grèce antique fut éclairée par une civilisation qui constitua son firmament, tel une étoile lumineuse. De l'aube du monde antique jusqu'à nos jours, d'innombrables études ont été menées afin de partir à la recherche des traces de cette civilisation, grâce à la pléthore d'ouvrages qui nous ont été légués au cours des siècles passés. Art, poésie, rhétorique, philosophie, sciences....

Les yeux rivés sur ces personnages pour lesquels tous ces vestiges constituaient l'œuvre d'une vie entière, nous voyons naître un intérêt grandissant pour la façon dont vivait tout un chacun parmi ce peuple qui était le plus évolué de l'époque. Nous en venons donc fatalement à aborder un sujet qui semble avoir intéressé certains de manière superficielle et d'autres plus sérieusement:

– Comment les grecs anciens se comportaient-ils dans leur vie privée et dans leurs moments d'intimité?

– Comment ce géant, cet hoplite marathonien, armé de son bouclier et de sa lance faisait-il l'amour?

Il se peut que des récits relatifs à l'Antiquité et comportant divers détails facétieux vous aient été contés et que vous vous soyez alors demandé si ces histoires comportaient la moindre trace de vérité.

D'ailleurs pourquoi le nier, aucun d'entre nous n'est indifférent au fait d'entendre de temps à autre quelque récit truffé de détails piquants. Puisque nous avons déjà abordé ce thème relativement sérieux sur un ton quelque peu badin, pourquoi ne pas essayer d'éclairer ces coins d'ombre de la Grèce antique, qui sont probablement inconnus de la plupart d'entre nous? Mais il s'agit bien sûr ici d'un thème sur lequel beaucoup a déjà été dit et encore plus passé sous silence, souvent avec un sentiment de culpabilité. Mais la Grèce antique n'avait nul besoin de juges ou d'experts. Elle existait et continuait à exister baignée par la lumière éternelle de la spiritualité. Nous avons tout à gagner en essayant d'en appréhender les mœurs qu'il convient d'aborder sans le moindre préjugé et en tentant de s'en imprégner. Essayons tout d'abord de préciser le terme "Antiquité". Il n'est en effet pas possible de parler d'un fait qui s'est déroulé dans l'Antiquité, sans le situer plus précisément car il s'agit en effet d'une période très longue s'étendant sur plus de 1200 ans.

Les événements qui se déroulèrent tout au long
de cette période, apportèrent donc des changements
majeurs
au niveau des us et coutumes, de la culture
et des traditions. Des lois furent décrétées, d'autres
furent abrogées, de nombreux changements eurent
lieu au niveau de la carte même du pays. En voyant
les villes prospérer puis péricliter les unes après
les autres, on peut facilement imaginer quelles furent
les conséquences de ces divers changements sur
l'évolution de ces sociétés.
Le cadre temporel couvert par l'Antiquité est donc
très vaste et nous nous référerons ici aux périodes
les plus caractéristiques que sont celles des années
homériques (VIIIe s) ou des siècles de prospérité
des principales villes grecques (VIe - IIIe siècle),
qui nous fournissent d'ailleurs les renseignements
les plus nombreux.
Il convient également de souligner l'influence exercée
par la religion qui prévalait à l'époque.
Le christianisme, qui institua des règles sévères
dans la vie privée, familiale et professionnelle,
n'arriva que beaucoup plus tard. Le monde antique
avec son polythéisme, avait une autre conception
de la vie et d'autres valeurs. Non seulement il ne
dissimulait pas le nu, mais il rendait hommage
à la beauté grâce à son art inégalé.
L'expression: "bon et beau", c'est à dire le fait de
combiner les vertus de l'esprit à la beauté du corps,
était révélatrice de sa conviction.
Et la simple présence, au sein du panthéon,
d'Aphrodite, une déesse qui personnifiait l'amour
et la joie de vivre, nous amène à penser que les gens
de cette époque vivaient librement et qu'ils faisaient
face à leur propre nature avec le plus grand naturel.
Cependant afin de nous familiariser avec notre sujet,
il convient de prendre en compte le fait qu'il
s'agissait d'une toute autre société dont les règles et
les mœurs revêtaient un caractère totalement différent
des conceptions morales actuelles.
Nous ne nous laisserons donc pas leurrer et nous
pénétrerons le monde spirituel de cette société
afin de ne pas laisser à certains la possibilité
d'exagérer et de modifier les faits en fonction
de leur propre jugement.

1

PROPOS... SUR L'AMOUR

Hésiode - Homère - Sophocle - Les Lyriques
Le Banquet de Platon
La notion d'Amour dans la philosophie platonicienne

L'ange ailé aux joues rouges qui tient un arc et lance de manière coquine ses flèches, tel qu' il émergea de l'inspiration des artistes, est l'image classique d'Éros (Cupidon) qui a fait le tour du monde tant sur les innombrables peintures, statues ou autres œuvres diverses. Mais que représentait exactement l'amour

Éros (Cupidons) ornant l'anse d'un vase (Peintre de Munich).

pour le monde de la Grèce antique? **Hésiode** dans son ouvrage intitulé "Théogonie", y fait référence dès le début de la création: "Au début naquirent le Chaos, l'éternelle et vaste Terre (Gaia) et l'Amour (Éros)...". Cela montre donc indéniablement que dès les premiers pas de l'Humanité, on était conscient du fait que l'amour régente la vie et le bonheur des hommes. L'amour possède un caractère multidimensionnel et diverses significations, comme nous le verrons par la suite. Dans la mythologie, Aphrodite est la déesse de l'amour et son royaume est constitué de fidèles qui sont frappés

de passions violentes et qui sont en permanence mêlés à de nombreuses histoires d'amour, perdus dans une mer de réjouissances et souvent également dans un imbroglio de problèmes. On vante en permanence les appas de cette déesse, tant dans les épopées homériques que dans les œuvres poétiques et dans les tragédies de l'époque. Cependant, dans le célèbre "Banquet" de **Platon** où **Socrate** est présenté en train de discuter de l'amour, en compagnie d'autres interlocuteurs, on assiste à une différence d'interprétation de ce terme. On entend en effet des propos concernant deux types d'amour différents, l'un étant personnifié par Aphrodite, la déesse de l'amour vulgaire, également appelée Pandémos, et l'autre par Aphrodite Uranie. La première fait référence à une simple satisfaction de l'amour charnel tandis que la seconde recherche le bien de la personne aimée, c'est à dire son accomplissement moral.

Le dieu Pan essaie d'enlacer
Aphrodite, nue, qui brandit sa sandale
afin de l'effrayer.
Entre eux se trouve Éros, rieur.
(100 av.J.C., Athènes,
Musée Archéologique National).

Hésiode

Poète majeur de l'antiquité grecque, qui grâce à son œuvre didactique apporta à la pensée antique des conceptions différentes de celles que l'on rencontre dans les épopées homériques. On ne sait pas exactement à quelle époque il vécut. Les grecs anciens pensaient qu'il était postérieur à Homère. Les dernières estimations le situe entre le VIIIe et le VIIe siècle. Il était originaire d'Askra, en Béotie et il vécut parmi les paysans et les pauvres pieux. Son œuvre fut appréciée en dehors des frontières de Béotie. Sa célèbre théogonie, qui fournit de précieux renseignements sur le commencement du monde et sur les dieux vénérés par les Grecs anciens, son œuvre "Travaux et Jour" qui place sur le devant de la scène le monde des disgraciés, sont des œuvres qui promurent l'idée de la juste rémunération de l'homme qui travaille dur.

À travers toutes ses œuvres, qui sont d'ailleurs très nombreuses, on discerne un lien étroit entre la religion et la morale.

Sophocle

L'un des trois plus grands tragédiens du Ve siècle av. J.-C. (496-406 av. J.-C.). Avec Eschyle et Euripide, il formèrent tous trois un brillant trio de tragédiens qui étaient au point culminant du drame antique.

Il vécut au cours des années de la prospérité d'Athènes, et le talent que laissèrent percevoir ses œuvres, attira l'attention et provoqua l'admiration de ses contemporains. Cet admirable dramaturge et artisan de la parole, laissa derrière lui une œuvre monumentale. Ses tragédies les plus célèbres sont: "Ajax", "Antigone", "Œdipe roi", "Électre", "Philoctète".

Avant de poursuivre notre analyse de ce thème qui constitue l'élément clé d'une philosophie entière, étudions rapidement la première interprétation du terme "amour", qui est aussi la plus courante et la plus quotidienne. L'amour, tel qu'on l'entend aujourd'hui, fut honoré et loué dans la Grèce antique plus que toute autre chose. Le poète tragique **Sophocle**, dans son admirable œuvre Antigone, nous a légué le célèbre chant de la danse:

> *Amour invincible,*
> *toi qui t'attarde*
> *sur les joues*
> *des jeunes filles,*
> *tu conquiers qui que*
> *tu approches*
> *riche ou pauvre*
> *tu traverses même*
> *les mers*
> *pas un seul immortel*
> *n'a pu t'échapper*
> *pas un seul mortel*
> *non plus.*

Un lyrisme indescriptible domine dans toutes les œuvres des poètes de la Grèce antique, qui rendent hommage à l'amour.

La Belle Hélène et Pâris (Nadar).

Tel le fer
c'est avec la massue
qu'Eros m'a frappé
et il m'a précipité
dans le ravin
dans les eaux d'un torrent.
Anacréon

Héra remet la pomme
à Pâris qui semble soucieux
(Cruche à figure rouge 480-460 av.
J.-C., Londres, British Museum).

Dans la mythologie, les amours, les mariages et les unions successives des dieux, et principalement de Zeus ou de Poséidon, donnèrent naissance à des générations de demi-dieux qui se rangèrent du côté de la vertu et du bien.

Dans les épopées d'**Homère** règne une atmosphère poétique qui est un hymne à l'amour. Les promesses faites par la déesse Aphrodite à Pâris devant permettre à ce dernier de passer sa vie auprès de la plus belle des femmes se révèlent être un leurre, et elles sont finalement la cause de la discorde.

L'amour de Pâris pour la belle Hélène, l'épouse de Ménélas, devait en effet provoquer la guerre la plus longue de l'Antiquité. Les Achéens assiégèrent dix années durant la ville de Troie afin de reprendre Hélène dont l'amour est devenu un idéal et un symbole.

Ces mythes constituaient les points de référence des hommes qui vécurent au cours des années historiques, à partir du VIIIe siècle ap. J.-C. et ils constituèrent la réalité historique de leur époque. Les années se succédaient et les hommes faisaient l'expérience de l'amour avec les mœurs et dans le cadre institutionnel de chaque époque.

Homère

Homère est le plus grand poète épique de tous les temps. Il vécut au IXe siècle et on ne possède que très peu de renseignements concernant sa vie. On ne sait même pas avec exactitude quelle était sa patrie. Sept villes de l'Antiquité revendiquait son origine: Smyrne, Rhodes, Colophon, Salamine (à Chypre), Chios, Argos et Athènes. On tient pour plus probable qu'il se soit agit de la ville de Smyrne, car son œuvre comporte de nombreux éléments ioniens. Ses épopées immortelles, l'Iliade et l'Odyssée, sont les œuvres littéraires significatives les plus anciennes, et on lui en attribue bien d'autres.

13

L'Amour qui paralyse
les membres ce serpent,
m'a de nouveau bouleversée
doux, amer et invincible

Sappho

Apporte l'eau, mon enfant,
apporte le vin et
vient aussi me couvrir
de couronnes de fleurs
pourquoi commencè-je avec l'Amour
de nouveau à jouer des poings.

Anacréon

Un Amour sauvage a
transpercé
et enlacé mon cœur
il m'a aveuglé
et a volé de mon être
jusqu'à la paix de mon âme

Archiloque

Ce sont là les indications que nous révèlent les études effectuées jusqu'à ce jour et qui ne peuvent en aucun cas être formelles. Nous disposons d'une multitude de vases, de fresques, de statues et autres sculptures dont les représentations constituent des éléments précieux. Ces éléments combinés aux textes qui ont été conservés éclairent de manière relativement importante notre sujet. Cependant les représentations artistiques ne sont représentatives d'une époque que jusqu'à un certain point et cela à plus forte raison que les pièces dont nous disposons sont uniquement celles qui ont été sauvegardées. Si l'on ajoute à cela le passage d'artistes étrangers dans diverses régions, les influences multiples ou même les fins auxquelles ces représentations étaient destinées, on se rend donc facilement compte qu'il est difficile d'aboutir à des conclusions. Par exemple, au cours du Ve siècle, durant lequel l'expression était si libre, on sait qu'à travers leurs œuvres, les artistes ne représentaient pas seulement des scènes de la vie quotidienne, mais ils exprimaient aussi leurs propres aspirations ou leurs soucis personnels, tandis qu'ils étaient parfois habités par des sentiments satiriques qui sont visibles dans certaines représentations où prime une exagération sensible. Mais il n'est pas utile d'y accorder une trop grande importance car les dialogues amoureux semblent comporter des éléments diachroniques.

Scène d'orgie érotique avec des hétaïres.

La notion de l'amour dans la philosophie platonicienne

*N*ous arrivons maintenant à la deuxième signification de l'amour, selon la conception platonicienne, celle d'Aphrodite Uranie. C'est par rapport à ce sens du mot amour que le grand philosophe Socrate exprima l'idée selon laquelle Éros est le plus ancien des dieux et qu'il est également le plus important dans la quête de la vertu et du bonheur, non seulement tout au long de la vie mais aussi au-delà de celle-ci. Cet amour aspirait dons à de hautes ambitions.

L'étape suivante consiste à découvrir comment fonctionnait cet élément magique qui avait pour but la vertu.

Nous arrivons donc au point où il convient de définir de manière plus précise la notion d'amour.

Cela comporte certaines difficultés dans la langue contemporaine en raison du fait que les mots "amour", "amant", "tomber amoureux" possèdent une signification toute différente. Le verbe du grec ancien "érao-éro" ne signifiait ni aimer, ni tomber amoureux dans le sens qu'on leur attribue aujourd'hui. Ce verbe avait une signification dynamique. Lorsque le citoyen grec de cette époque employait le verbe "éro", il voulait dire "je désire de toute mon âme quelque chose qui me manque". Ce verbe exprimait un besoin psychique qui aspirait à être assouvi. Étudions cette nuance.

Scène érotique entre un paysan et une sirène. Fragment d'un ex-voto en marbre (Boston, Musée des Beaux Arts).

Tel un vent violent,
l'Amour
a fait trembler mon cœur.
Sappho

L'Amour,
souverain des dieux
harcèle les hommes.
Anacréon

Amer, doux, insatiable
et à la fois cruel
est l'amour de la jeunesse,
dans la fleur de l'âge.
Theognis

Platon

Platon est le second du trio des philosophes grecs de l'Antiquité (Socrate - Platon - Aristote), qui posèrent les jalons de la philosophie du monde occidental. Il naquit à Athènes ou dans l'île d'Égine vers 428 - 427 av. J.-C., un an après la mort de Périclès, et il mourut en 347 - 348 av. J.-C. On prétend que son nom originel était Aristoclès, mais la largeur de son front et de ses épaules lui valut le surnom de Platon, au cours de l'adolescence. Dans son enfance, il reçut une éducation semblable à celle des jeunes de son époque, puis en tant qu'!lève de Socrate, il épousa la philosophie de ce dernier avec une vigueur telle, que toute son inclinaison pour la poésie se transforma en philosophie. À la mort de son maître Socrate, il quitta Athènes et voyagea à travers le monde hellénique d'occident, et il continua à intervenir dans la politique des Syracusains. Il fonda sa propre école philosophique, l'Académie, qui eut pour élèves les jeunes les plus remarquables de l'époque. Il laissa derrière lui de nombreuses œuvres, nous léguant également l'œuvre de Socrate, qui se trouve au cœur de ces écrits.

"J'aime mon ami" a le sens de "cette relation me satisfait". Mais éro signifie j'éprouve de l'amour pour la sagesse, la bravoure ou pour toute autre valeur que je ne cesserai jamais de rechercher, car je suis un amoureux (admirateur, adorateur) de la sagesse et de la bravoure. Étudions donc de plus près les pensées de ces hommes qui vécurent le miracle d'une époque qui devait s'appeler le siècle d'or.

Dans la philosophie platonicienne, l'amour fonctionne comme un phénomène naturel. Il se tourne vers ce qui est beau, tel un héliotrope vers le soleil. On ne peut réduire l'amour à l'instinct sexuel, aussi étroitement qu'ils soient liés, car cet instinct, en tant qu'acte, concerne une fonction corporelle et cet acte peut également s'accomplir sans que la signification profonde de l'amour n'intervienne.

Le plaisir non plus ne constitue pas la finalité de l'amour, car il ne nous permet pas de nous accomplir en tant qu'individus, puisqu'il est obtenu en utilisant la personne aimée, que nous diminuons par là même.

L'amour physique a pour destination naturelle d'aboutir à une naissance visant à perpétuer la race. Toutefois, l'homme, en tant que créature privilégiée diffère des autres créatures, car par ses œuvres spirituelles il assure une continuité de la vie.

Aphrodite conseille Éros sur la cible à choisir. Verre étamé du IVe s. av. J.-C.

Page d'en face: Le baiser. Scène ornant un vase à figure rouge corinthien datant du VIe siècle. Un couple est représenté peu avant de s'embrasser (Berlin, Musée Archéologique).

Socrate

Le plus grand philosophe du Siècle d'or. Il naquit à Athènes en 470 ou 469, où il mourut en 399. Sa très forte personnalité engendra la création d'un cercle d'amis et de disciples qui le suivirent avec amour et dévotion, mais il connut également des ennemis, qui le condamnèrent à mort. Son attitude face à sa condamnation injuste fut caractéristique, puisqu'au lieu d'y échapper, comme il en avait la possibilité, il l'accepta afin d'être en accord avec les précepts qu'il enseignait, à savoir qu'il convient d'obéir aux lois. Grâce à son œuvre il contribua à l'essor extrême de la philosophie grecque, en redéfinissant les conceptions fondamentales de la vie humaine et du fonctionnement de la cité. Il ne laissa lui même aucun écrit, mais sa personnalité et ses pensées nous furent transmises à travers l'œuvre de bon nombre de ses contemporains, et principalement grâce à celle de Platon, qui était son élève, son admirateur, mais aussi son successeur.

Il ne faut pas non plus négliger la dimension esthétique de l'amour. Un corps nu et musclé provoquait une admiration évidente. Et même si la beauté du corps était supplantée par les qualités de l'esprit, elle n'en demeurait pas moins le fondement essentiel de la perfection et l'élement attractif de départ. C'est l'alliance d'une beauté corporelle et spirituelle qui était en question. Il est bien sûr plus difficile de parvenir à atteindre le monde parfait de la sagesse et de la vertu. Ce sont ces qualités esthétiques du corps et de l'esprit qui unissent deux êtres charismatiques. La relation idéale entre ces deux êtres donne naissance aux vertus spirituelles. Toutes les fonctions relatives à la chair et à sa beauté, qui créent des sensations de plaisir, sont liées au monde extérieur vers lequel elles diffusent cette énergie, sans pour autant perdre quoi que ce soit de leur pureté naturelle. Les besoins de la chair passent au second plan et leur satisfaction a pour but de se dégager des problèmes de l'existence afin de se consacrer de manière assidûe aux grandes œuvres.

Socrate considérait que la pureté était la condition sine qua non de la liberté spirituelle et alors qu'il accorde à l'amour physique une place privilégiée, il le condamne si celui-ci devient une passion charnelle, car il signifie alors la perte de la raison et de la liberté de l'esprit.

Nous en arrivons donc à la conclusion que dans l'Antiquité, le mot "amour" peut signifier l'union charnelle et tout ce qui y est relatif, mais le terme ainsi que tous ses dérivés ne revêt pas uniquement ce sens. L'amour est donc possible sans aucune relation charnelle, car l'homme est considéré comme un être mortel qui prend part à la vie à travers l'amour avec l'intention de la perpétuer et de lui donner une dimension d'immortalité. Voila donc ce qu'est l'amour de l'Antiquité, ce qu'est le Grec de cette époque: un désir d'immortalité.

La Vénus de Milo (Louvre).

Entrelacs en marbre représentant Thésée et Antiope, provenant du temple d'Apollon à Érétrie (500-490 av. J.-C., Musée Archéologique d'Érétrie).

2

ELLE ET LUI... PAR LE PASSÉ

Les amours des Dieux - Mythes célèbres
Elle, au cours de l'Antiquité classique

L'éternel jeu amoureux entre le mâle et la femelle, n'est pas uniquement un phénomène qui se répète sans cesse depuis l'Antiquité, mais il constitue une règle de la nature elle-même. La prévoyance de la nature concernant la pérennité de l'espèce est venue y apposer son cachet. C'est en se conformant à ces principes que

Couple vêtu des atours de la cérémonie nuptiale.

l'homme et la femme de l'Antiquité transforment les élans de leur passions en des sentiments d'amour, de réciprocité et de création, sans oublier les sentiments destructeurs qui ne sauraient manquer. Étudions donc la relation psychique et corporelle qui unissait les couples selon les époques et le cadre culturel de ces derniers. Dès les premières années de l'abolition des sociétés matriarcales et de la concentration des pouvoirs entre les mains du sexe fort, le peuple grec conféra à ses divinités masculines une maestria prodigieuse au cours de ses ébats amoureux continuels avec le beau sexe, mettant ainsi en valeur leur société masculine par les actes qu'ils attribuaient à leurs dieux. Nous commencerons notre exposé en

évoquant le père des dieux immortels, Zeus, qui venait à peine de légitimer sa relation avec Héra, suite à son installation sur l'Olympe, qu'il jeta son dévolu sur de nombreuses déesses ainsi que sur des mortelles. Qui faut-il tout d'abord évoquer? La nymphe Maïa, qui mit au monde le dieu Hermès? Sémélé avec laquelle il engendra Dionysos? Léto, qui en dépit de la jalousie d'Héra qui s'abattit sur elle, mit au monde Apollon et Artémis? Thémis ou Mnémosyme? Il convient de mentionner le fait que partout où se trouvait une jeune fille libre... bénie par la fécondité, elle le devait toujours à quelque dieu. Enfants conçus hors-mariage? Abandonnés? En aucun cas. Il s'agissait de semence divine, de forces surnaturelles, de héros. Un respect général entourait les enfants des dieux immortels. Il fallut faire preuve de beaucoup d'ingéniosité divine pour mettre en place d'astucieux plans de séduction à l'attention des belles femmes mortelles. Zeus se transforma en un superbe cygne afin de pouvoir s'approcher de Léda, la mère de Castor et Pollux.

Léda et le Cygne. Mosaïque provenant d'une demeure romaine dans la ville antique de Paphos, à Chypre.

Assaut érotique de Poséidon.
La Danaïde Amymone essaie
timidement de lui échapper
(Hache à figure rouge, 450 av. J.-C.,
Rome, Villa Giulia).

En une autre occasion le dieu de l'Olympe se changea en une pluie d'or afin de pouvoir s'introduire dans la grotte où se trouvait enfermée Danaé qui mit au monde Persée. Il prit même l'apparence d'un taureau afin de séduire et d' enlever Europe. Mais Zeus ne fut pas le seul à employer de telles ruses. Poséidon aussi, le dieu de l'élément marin, en dé-pit de son union avec Amphitrite... remuait souvent les eaux.

Avec son style incomparable, dans l'Odyssée, Homère raconte comment il prit l'apparence du fleuve Enipée afin de séduire Tyro qui se rendait souvent sur les bords de ce fleuve:

"...le dieu qui porte et ébranle la Terre prit la figure d'Enipée
et se coucha près d'elle à l'embouchure du fleuve tourbillonant.
Ses flots bouillonnants s'élevèrent en voûte autour d'eux,
à la hauteur d'un montagene et cachèrent le dieu et la mortelle.
Il dénoua la ceinture de la vierge et versa sur elle le sommeil.
Puis quand le dieu eut achevé l'acte d'amour,
il lui prit la main et lui adressa ces paroles:
"Réjouis-toi, femme, de notre union, au cours de l'année
tu donneras le jour à de brillants enfants; car jamais
la couche des Immortels n'est inféconde.
Prends soin d'eux et nourris-les de ton lait. Maintenant,
rentre chez toi, garde le secret et ne me nomme pas.
Je suis Poséidon, l'ébranleur de la terre...."

(traduction Médéric Dufour et Jeanne Raison)

Mais les autres dieux étaient également friands de cette poursuite érotique, quel que fut l'élément sur lequel ils règnaient. Il se peut qu'Apollon ait été le dieu de la lumière et qu'il ait poursuivi Daphné, mais Pluton le dieu de l'Hadès, n'enleva-t-il pas Perséphone afin d'en faire sa compagne dans ses royaumes obscurs? Nous ne mentionnerons pas les agissements d'Aphrodite car ils sont d'ailleurs tout à fait naturels pour la déesse de l'amour. Pensez en revanche à ce dieu au visage si disgracieux mi-homme, mi-bouc, appelé Pan, qui ne cessait de poursuivre les nymphes. Ne parvint-il pas cependant à séduire la belle Séléné, qui se refusait à lui? Quant au cortège permanent de Dionysos, il entrainait toujours avec lui une suite qui dans une allégresse permanente chantait, dansait et se livrait à des orgies sous l'influence du vin qui coulait en abondance.

Je te lance la pomme
si tu l'acceptes
c'est que tu m'aimes
offre-moi, fille, ta pureté.
Mais si ta pensée est autre
accepte tout de même la
pomme afin qu'elle t'enseigne
qu'éphémère est la beauté.

Platon

Mythes érotiques célèbres

*M*ais oublions les dieux, car ces derniers parvenaient toujours à s'en tirer sans trop de mal. Il semble évident que la période de l'Antiquité au cours de laquelle l'amour entre l'homme et la femme connut son apogée tant sur le plan spirituel que physique, se situe au cours des années homériques et au tout début de l'époque préclassique.

Statuette du dieu Pan,
assis sur un rocher
(Période hellénistique,
Athènes, Musée Archéologique)

Mère, douce,
sur le métier
je n'ai pu tisser
au désir d'un homme
Aphrodite m'a enchainée.

Sappho

La raison doit être
avec les amoureux.

Anacréon

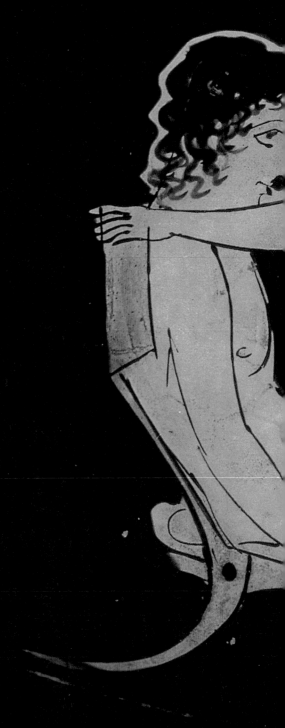

Jeune couple,
peu avant l'étreinte amoureuse
(430-420 av. J.-C.)

Mimnerme

Poète élégiaque grec, originaire de Colophon (en Ionie), ou son œuvre connait une certaine notoriété dès la deuxième moitié du VIIe siècle. Il est le prédécesseur ou le contemporain des Sept sages de la Grèce antique et on raconte qu'il connut Solon. Il était le père de l'élégie érotique et sa poésie exprime des sentiments profonds. Ses vers sont dominés par une légère mélancolie des joies et des plaisirs de la jeunesse, qui est si éphémère et ils laissent également transparaitre la peur de la vieillesse. Mimnerme se distinguait en tant que grand artisan du langage et du vers élégiaque et il fit partie des poètes élégiaques de l'Antiquité.

Méléagre

Méléagre était originaire de Gadara, en Palestine.
Il vécut vers l'an 100 av. J.-C. et il apprit le grec dans les écoles de Tyr. Il devint par la suite l'élève du philosophe Ménippe. Il mourut, dans l'île de Kos, à un âge avancé. Il écrivit de nombreux épigrammes à teneur principalement érotique, dont 134 ont été conservés. Ses vers sont lyriques, tendres mais aussi réalistes.

Hommes et femmes
s'emparent
des fleurs éphémères de la
jeunesse.

Mimnerme

De Zénophile la couche
les trois Grâces décorèrent
et de trois couronnes la
cerclèrent,
qu'elle ait pour joyaux
le désir qui éveille l'amour,
de la beauté, l'éclat
et enfin le plus précieux,
la parole qui envoûte.

Méléagre

Hermès, Orphée et Eurydice,
parmi les sculptures de l'Agora Athénienne du Ve s. av. J.-C.

Les femmes jouissaient à l'époque d'une grande liberté pour circuler dans les villes, si bien qu'elles constituaient de réelles sources d'inspiration pour les poètes et des objets de passion amoureuse pour la gent masculine. L'amour d'Hélène, la belle princesse de Sparte, que nous avons évoqué dans le chapitre précédent, marqua toute une époque. La fidélité et l'attachement qu'éprouve Pénélope envers Ulysse est une autre preuve des valeurs d'une époque. Il s'agit là de la projection d'une force morale qui devait unir les couples. Même dans le "Banquet" platonien, à une époque où la relation entre l'homme et la femme se modifie, on admet la force et la rareté de l'amour d'Alceste, l'épouse d'Admète, qui souhaita mourir à la place de celui-ci, lorsque la mort vint s'emparer de son époux.

On juge en revanche moins intense l'amour d'Orphée, qui lorsqu'il perdit son amante Eurydice, tenta par tous les moyens de descendre vivant aux Enfers plutôt que de mourir pour rejoindre sa bien-aimée.

Mais comme cela est toujours le cas il n'y avait pas uniquement l'amour fécondateur et celui, jugé supérieur, qui était d'ordre spirituel. En fonction du caractère de chaque personne et des passions qui l'envahissaient, on assistait également à l'amour dévastateur, qui détruisait tout sur son passage, habité de l'esprit de revanche.

L'exemple de Phèdre, l'épouse de Thésée, illustre parfaitement ce type de passion: éprise du fils de son époux, Hippolyte, qui repoussera les avances de sa belle-mère, Phèdre accusera le jeune-homme de l'avoir violée et poussera Thésée à tuer son propre enfant. Ou encore le cas de Médée qui lorsqu'elle est répudiée par Jason, n'hésite pas à tuer ses propres enfants pour se venger de son époux. Les tragédies antiques regorgent d'histoires qui dans certains cas rendent hommage à la grandeur de l'amour et l'élève au rang céleste et dans d'autres cas ont une issue tragique et fatale. Mais dans l'un ou dans l'autre cas, cet amour qu'il soit l'objet d'une querelle ou d'une union entre les deux sexes, est partout présent.

Elle, dans l'antiquité classique

*N*ous arrivons à la période classique, qui constitue une époque où la société est dirigée par les hommes au point extrême. La société de l'époque a réduit au strict minimum le champ d'activités de la femme. Dans la ville d'Athènes du Ve siècle, elle n'avait pas accès à l'éducation et à la culture dont jouissait l'homme, tandis que les quelques activités communes qui leur aurait donné l'occasion de se rapprocher étaient très restreintes, voire inexistantes. L'amour dans sa dimension spirituelle, tel que nous l'avons mentionné dans le chapitre précédent, n'était pas très probant, et la plupart des liaisons amoureuses se limitaient donc à l'aspect charnel. Les hétaïres, dont nous parlerons plus bas, essayaient quant à elles d'acquérir une certaine éducation afin de pouvoir assister aux réunions des hommes. Voilà donc le moyen par lequel la gent féminine pouvait s'introduire n'importe où à cette époque.

Cela ne signifie pas bien entendu qu'il n'ait pas existé à Athènes de couples amoureux, dans le sens le plus strict du terme. À aucun moment la femme n'a renoncé à son rôle séculaire, son effort constant consistant à séduire l'homme.

Pendant l'époque archaïque au cours de laquelle elle

Statue d'une korê athénienne, de la fin de la période archaïque.

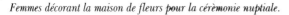

Femmes décorant la maison de fleurs pour la cérèmonie nuptiale.

Plutarque

Plutarque naquit à Chéronée, en Béotie. Il vécut durant la période comprise entre 45 et 120 ap. J.-C. et il fut le dernier des grands écrivains grecs de l'Antiquité. Intellectuel brillant, il subit l'influence de Platon et rédigea des biographies, des études à caractère religieux, éthique, psychologique et pédagogique. Il fit ses études à Athènes et il semble donc avoir également été initié à la rhétorique. Il effectua de nombreux voyages et semble avoir eu des liens particuliers avec Delphes, puisqu'il possédait à vie le titre de prêtre et contrrleur de l'oracle.

Il est considéré comme un écrivain à l'œuvre monumentale. Ses "Éthiques", comporte environ 78 ouvrages, tandis que dans son œuvre "Vies Parrallèles", qui donne une vision d'ensemble de la vie durant l'antiquité, il décrit la vie des grands personnages de l'antiquité grecque, en la comparant à la vie des éminences romaines. Ses études ont un caractère moraliste. Elles donnent des exemples à suivre et préconisent des règles de vie élevées.

jouit de l'attention de ce dernier, on la voit souvent coiffée de la même manière que les hommes, tandis que durant l'époque classique qui s'avère être la plus critique pour la population féminine, elle adopte une attitude contraire. L'athénienne de cette époque porte une coiffure composée de boucles qu'elle fixe sur la partie supérieure du crâne ou sur l'arrière. La jeunes fille quant à elle les retient par des rubans, laissant ainsi son front dégagé.

Dans la lutte consistant à augmenter son pouvoir de séduction, elle déployait toute une panoplie d'instruments de la coquetterie féminine: elle achetait des parfums, elle utilisait des produits de beauté à base de plomb carbonique qui avaient la propriété de rendre le teint plus clair, comme nous l'indique Héouque dans l'un de ses exposés...visant à dévoiler les petits secrets du beau sexe. Elle se maquillait également les yeux et les sourcils et procédait même à l'épilation tandis que son habillement comprenait l'accessoire féminin par excelllence, le corset. Toute cette coquetterie avait pour seul et unique but de la rendre plus attrayante aux yeux des hommes. Des vêtements et une pléthore de bijoux divers tels que boucles d'oreille, bagues, colliers, bracelets qui paraient la femme de cette époque lointaine ont été conservés jusqu'à nos jours. On remarque toutefois que si la mode athénienne préconisait des tenues pudiques avec des tuniques et des peplums relativement longs, enveloppant le corps en des plis bien ajustés aux endroits requis, tel que nous pouvons le voir

Plaque de la frise du Parthénon, avec les jeunes Atthides, qui tissaient le péplum de la déesse Athéna, et qui viennent lui en faire cadeau pour la fête des Panathénées.

sur les statues, la mode de Sparte adoptait en revanche des tuniques courtes ou des peplums qui étaient dotés d'un lien à la taille, mais ne possédaient pas de coutures sur les côtés et laissant donc les jambes découvertes. En dépit d'une législation plûtot sévère qui régissait la Laconie, cette liberté dans le domaine de l'habillement était probablement due au fait que les filles prenaient part aux entrainements sportifs au même titre que les garçons, sur les rives du fleuve Amour (Eurotas), et une telle tenue facilitait les mouvements. La tunique spartiate découvrait donc les cuisses avec le moindre mouvement, provoquant ainsi la moquerie de la part des Athéniens.

Plutarque pense que **Lycurgue**, le législateur de Sparte, avait des raisons à cela. Les garçons de Sparte ne pourraient demeurer insensibles à la vue des jeune-filles à moitié nues et il seraient ainsi obliger de se décider en faveur du mariage. Le mariage est donc le but poursuivi, la seule institution intemporelle dans le cadre de laquelle se développe la cellule de toute société, la famille.

Lycurgue

Législateur spartiate, fondateur des institutions sociales de la ville antique de Sparte, qui vécut vers 780-750 av. J.-C. Lycurgue effectua de nombreux voyages dans la mer Égée, en Ionie et en Crète afin d'étudier la vie politique de ces régions. Le régime politique de Sparte avec sa double royauté, son Sénat et le congrès de l'armée qui représentait le peuple, furent inspirés à Lycurgue par l'oracle de Delphes.
C'est également à Lycurgue que l'on attribue l'ensemble des règles relatives à la vie des spartiates et l'éducation des jeunes.

Couples vêtus de costumes nuptiaux, ornant un vase antique.

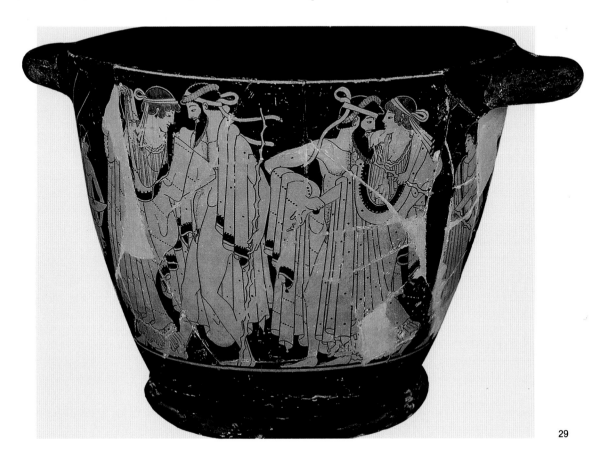

LE MARIAGE, UN CONCEPT SI ANCIEN

Mariages légendaires - Le mariage au cours des années historiques
La cérémonie nuptiale - Le mariage à Sparte

Il n'est pas nécessaire de procéder à une étude laborieuse pour constater que depuis le début du monde le mariage passe d'une société à l'autre sous une forme parfois quelque peu différente, mais qu'il conserve néanmoins toute sa force. Dans toutes les cités et même dans les plus libérales, les mariages ne furent jamais limités, mais cette institution occupa au contraire toujours une place de choix dans la société, car c'est en son sein que l'humanité devait se perpétuer.

Le mariage de Zeus et d'Héra (Vase d'Euphronios).

Dans la mythologie grecque, nous rencontrons Zeus qui, s'installant sur l'Olympe, se presse de légitimer sa liaison avec Héra, en la consacrant par le mariage, qui devait toujours prévaloir et cela même en dépit des infidélités conjugales. Cela est donc révélateur de la place qu'occupait le mariage dans la conscience de nos lointains ancêtres. Dans notre histoire de plusieurs millénaires, le lien entre les époux et les droits auxquels pouvait prétendre la compagne à travers celui-ci variaient en fonction de la place qu'occupait la femme dans chaque société. À l'époque d'Homère, les femmes peuvent apparaître en toute liberté dans les lieux publics. Les Troyennes circulent dans la ville et la Belle Hélène se promène même dans les forts, parmi les combattants. Au cours des années minoennes régnait une situation analogue et même peut-être plus évoluée: on voit en effet des femmes qui, le buste nu, prennent part aux tauromachies et aux jeux organisés avec des taureaux. Dans une des aventures de l'Odyssée se situant sur l'île des Phéaciens, Nausicaa, la jeune fille du roi, se promène sur la plage, accompagnée de ses servantes et elle joue, se baigne et s'amuse à l'extérieur. Tout cela est donc relatif aux données de l'époque concernant le mariage. Au cours des années homériques, nous constatons donc que le mariage revêt la forme soit de l'enlèvement, soit de l'achat de la femme.

Dans certains cas, le père de la jeune fille organise un concours quelconque entre les divers prétendants où il se mesure même parfois à eux, tout comme Œnomaos, le père d'Hippodamie, se mesura à son gendre Pélops, et c'est seulement après la victoire du second que le mariage eut lieu.

Ulysse et Pénélope, au moment de leur rencontre (Relief provenant de Milos et datant de 460-450 av. J.-C., Louv

Le rituel de l'époque voulait qu'après le mariage, le gendre offre au père de la mariée, des cadeaux d'une valeur symbolique ou réelle, et qu'il recoive de son beau père les "meilia", que l'on peut considérer comme l'ancêtre lointain de la dot. La fiancée plaçait ensuite sa main dans celle de son prétendant et ils étaient dès cet instant considérés comme mariés. Venait ensuite la cérémonie du transfert de la fiancée dans la maison de son époux. Il convient de noter la place qu'occupait la femme auprès de son mari. La "kouri-idi alochos" d'Homère, n'était pas seulement respectée mais également désirable et très aimée. Hector et Andromaque, Ulysse et Pénélope, Alcinoos et Arété sont certains des couples que nous avons pu mentionner.

Le mariage des années historiques

Au cours des années historiques, les choses étaient toute différentes. Les droits de la femme étaient très limités, puisque cette dernière étaient totalement soumise à son mari qui étaient aussi le maître de la maison. Le plus grand essor de l'Antiquité, qui eut lieu à l'époque de Périclès, trouve la femme presque totalement dénuée de prérogatives. En dehors de quelques rares exceptions, elle n'a pas le droit de circuler librement dans les rues de la ville. Seules les femmes très pauvres, qui étaient obligées de travailler sur les marchés quand elles ne possédaient pas de parents capables de subvenir à leurs besoins, allaient dans les lieux publics. La femme demeure bien sûr la maîtresse de maison vis à vis des esclaves et elle veille au fonctionnement de son ménage, mais toujours sous la surveillance et avec l'autorisation de son mari qui conserve le droit de la répudier.

Dans la Grèce classique le mariage avait lieu de deux manières possibles: avec une "engyésis" ou avec "adjudication". Avec l'engyésis, le kyrios de la jeune fille (son père ou son tuteur) la remet à son prétendant en présence de témoins par une convention orale et on détermine le montant de la dot. Comme nous le constaterons, bien que le mariage ait été considéré comme une institution sacrée, il n'était cependant accompagné par aucun rituel religieux. C'est donc principalement la dot qui différenciait le mariage du concubinage (pallakè), qui constitait à entretenir une femme sous son toit sans que le mariage n'ait été prononcé. Le rituel de l'engyésis étaient en vigueur dans presque toute la Grèce antique.

Supérieur à la femme bonne
pour l'homme
et plus glacial que la
mauvaise
au monde rien ne vaut.

Simon

Simonide
l'auteur épigrammatique

Il naquit à Kéa, dans les Cyclades, en 556 av. J.-C. et mourut à Agrigente, en Sicile, en l'an 468 environ. Il s'adonna à tous les genres de la poésie, mais il connut la gloire grâce à ses célèbres épigrammes, qui se caractérisent par leur style dégagé, leur rigueur dorique et leur extase poétique.

Pour le mariage, le consentement de la femme n'était pas nécessaire. Le second type de mariage, celui de l'adjudication, était employé lorsque qu'une jeune fille était épiclère, c'est à dire l'héritière unique de son père en l'absence de tout héritier masculin.

La fille épiclère devait épouser l'un de ses plus proches parents descendants afin que les biens restent dans la famille. Les personnes intéressées exprimaient leur souhait, puis les choses suivaient un processus légal au cours duquel le plus proche des parents dominait. Il est clair que le soucis primordial d'un tel mariage était d'ordre matériel.

Mon bien aimé,
à quoi de plus beau
puis - je te comparer?
À mes yeux,
tu es tel,
une branche charmante!
Sappho

Homme et femme
se rendant à un banquet,
avec une coupe et une lyre.

Solon

Homme politique célèbre et législateur de l'Athènes antique, l'un des Sept Sages de la Grèce antique. Il naquit en 640 et mourut vers 560 ap. J.-C. Grâce à son ouvrage législatif, il mit fin au gouvernement exclusif de l'État par des nobles uniquement. Il mit en place une nouvelle réglementation humaniste et il fut un poète notoire. Avant d'être élu législateur, il effectua de nombreux voyages. Au début du VIe siècle, époque à laquelle une grande pauvreté régnait à Athènes, les fermiers qui ne possédaient pas d'argent pour payer les nobles, devaient leur céder leurs terres et souvent même devenir esclaves. Solon abolit toutes les confiscations de terres et délivra tous les citoyens qui avaient été réduits à l'état d'esclave. Il interdisit le prêt mettant en gage la liberté individuelle et il organisa la vie commerciale du pays avec l'export de marchandises et l'émission de monnaie. Dans la nouvelle répartition de la société, les plus défavorisés prenaient également part aux affaires publiques. Solon était modéré et il condamnait les excès. La durée d'application de ses lois fut fixée à 100 ans. Afin qu'on ne lui demande pas d'explications ou de modifications, qui auraient été justes pour certains et injustes pour d'autres, il s'adonnait aux voyages.

Toutefois, **Solon** obligea par la loi celui qui épouserait l'épiclère à avoir des relations sexuelles avec cette dernière au moins trois fois par mois, afin qu'elle mette au monde le plus rapidement possible un enfant mâle. La loi n'interdisait pas l'inceste. Seul le mariage entre frères et sœurs nés de la même mère était condamné. Les enfants nés d'un même père, les frères et sœurs adpotifs et les cousins pouvaient se marier entre eux. L'union entre ascendant et descendant était considérée comme abominable, comme on le voit dans le cas d'**Œdipe**, de Sophocle. Il s'agissait en effet d'un interdit social et religieux qui attirait le chatiment des Dieux s'il était transgressé. Cependant tous types de rapports ou de relations amoureuses au sein du couple n'étaient pas condamnés par la religion, de même qu'il n'existait aucun précept religieux destiné à prêcher l'abstinence ou la purification. Il en était de même pour la bonne santé de la femme par rapport à sa fécondité. Il était en revanche absolument interdit au couple de s'adonner à des ébats amoureux dans l'enceinte du temple dédié à un dieu.

Il convient ici de souligner le fait que le choix de l'époux était laissé à l'entière appréciation du tuteur de la jeune fille. Et puisque c'était en général le père qui décidait, **Hérodote**

Œdipe résout l'énigme du Sphinx (Intérieur d'une coupe à figure rouge, 470-460 av. J.-C., Rome, Musée du Vatican).

rapporte comme un fait étrange l'histoire d'un Athénien père de trois filles, qu'il laissa libres de choisir leurs époux lorsqu'elles furent en âge de se marier et qu'il maria à l'homme de leur choix. Il semble donc que chaque époque ait connu des parents sensibles et l'exemple cité par Hérodote n'était sûrement pas un cas isolé. Il est toutefois évident que l'amour ne jouait aucun rôle dans toute l'affaire. Le citoyen libre avait le droit de satisfaire ses besoins charnels auprès des hétaïres ainsi que d'avoir une pallakè. Pour ce qui est des discussions et des échanges d'ordre spirituelles avec l'épouse, ils étaient inexistants étant donné que les femmes n'avaient pas accès à l'éducation. Quel était alors le but du mariage? Comme nous l'avons mentionné dès le début, il ne servait qu'à procréer. Les grecs anciens considéraient comme leur devoir face à la société le fait de laisser derrière eux des descendants mâles légaux. C'est dans cette optique que les législateurs (tant Solon à Athènes que Lycurgue à Sparte) avaient pris des mesures relatives à cet effet.

D'un point de vue purement éthique, les grecs souhaitaient grâce au mariage, laisser derrière eux une personne qui se chargerait de leurs funérailles. Ceux qui n'engendraient pas de descendant mâle adoptaient d'ailleurs généralement un garçon à cette fin. L'autre raison notoire justifiant le mariage était généralement d'ordre économique. La dot n'était en effet souvent pas négligeable, puisque certains n'osaient pas demander le divorce, car ils auraient alors été contraints de la restituer.

Les raisons poussant à conclure un mariage sérieux nous sont clairement énoncées dans les conseils prodigués par Hésiode à l'égard des hommes. **Hésiode** leur conseille donc d'amener une femme chez eux avant d'avoir dépassé l'âge de trente ans, tandis qu'il estime que l'âge le plus approprié pour la compagne doit être entre 15 et 16 ans. Il recommande qu'elle soit vierge afin qu'elle fasse preuve de respect et avant tout qu'elle soit issue d'une famille de proche ou d'amis afin qu'elle connaisse les habitudes de la maison où elle se destine à vivre. Il insiste sur le fait qu'une bonne épouse constitue la plus grande des richesses, tandis que la mauvaise épouse est au contraire la cause de nombreux malheurs. Il conclut en conseillant à l'homme de se tenir éloigné des femmes trop coquettes car elles risquaient sans aucun doute de négliger leurs obligations familliales.

Hérodote

Le plus ancien historien grec, qui fut d'ailleurs appelé "père de l'histoire" par Cicéron. Il naquit à Halicarnasse, en Asie Mineure, vers 480 av. J.-C. et mourut en 420 av. J.-C. Il vint à Athènes avant l'an 445 et il y rencontra les personnalités de son temps. L'État grec et Périclès lui rendirent hommage en lui offrant de généreuses sommes d'argent pour les textes qu'il rédigeait. Il s'installa par la suite à Thurium, colonie grecque de la Grande Grèce, où il mourut. Son œuvre historique est très importante. Il raconta les Guerres Médiques, l'expansion perse, les guerres entre Perses et Grecs et il rapporta de nombreux détails sur la vie des Égyptiens, des Scythes et d'autres peuples. Son style est enlevé et il souligne les éléments glorieux et agréables. Il combine les qualités de l'anthropologue, de l'ethnologue, du naturaliste et du sociologue, mais il insiste plus que de raison sur des détails, et on pense que certaines de ses données statistiques sont erronées.

Périclès

Il naquit à Athènes en 495 av. J.-C. et mourut en 429 av. J.-C. Il fut à la tête de la démocratie athénienne durant plus de 30 ans. Suite à sa victoire sur les Perses, il entre dans la politique. Il parvint à consolider et à favoriser l'essor de la démocratie à Athènes, et il transforma la ville en empire maritime et en puissance dominante dans l'espace grec, au cours de la deuxième moitié du Ve siècle. C'est aux programmes de Périclès que l'on doit la plupart des monuments de l'Antiquité et bien entendu la célèbre Acropole. C'est donc à juste titre que cette époque porta le nom de "Siècle d'or de Périclès". Il avait une personnalité si forte que même dans un régime démocratique où ses adversaires politiques étaient si nombreux, ses qualités étaient reconnues et il parvenait à réunir un pouvoir plus important que tout autre homme politique de l'Antiquité.

Aspasie

Elle naquit à Milet et vint à Athènes en tant qu'hétaïre, en 455 av. J.-C., à l'âge de 20 ans. Sa beaut!, sa culture, son intelligence et son éloquence, la firent se distinguer immédiatement dans un monde si dur envers les femmes de l'!poque. Elle fréquenta tous les hommes célèbres et lorsqu'elle rencontra Périclès, ce dernier n'hésita pas à divorcer de sa première femme pour vivre avec Aspasie. Elle lui enseigna un grand nombre de choses et elle lui inspira des idées et même des discours qui remportèrent un vaste succès. Leur maison devint le lieu de discussion des érudits, des orateurs et des artistes et c'est là que se réunissait l'elite de la culture athénienne. De son union avec Périclès naquit un fils qui fut légitimé bien plus tard, grâce à une loi votée en 430 av. J.-C.

Il semble que toute marque de coquetterie ou de séduction ait risqué de mettre en péril l'equilibre famillial. C'est également ce qu'indiquent les lamentations de Strepsiade, l'un des héros d'**Aristophane,** dans sa comédie intitulée "Les Nuées":

"je menais une vie rurale, avec les abeilles et les moutons... puis, moi, le paysan j'épousai une citadine, une demoiselle, une mijaurée. lorsque je l'epousai et que je m'allongeai à ses côtés, je sentais la vigne et la laine et elle l'eau de fleur d'oranger et les baisers avides, passionnés et voluptueux".

Tout cela ne signifie bien entendu pas qu'au cinquième siècle, il n'existait pas de couples amoureux. Mais il convient de souligner que l'amour ne jouait pas un rôle majeur dans la décision du mariage de l'Antiquité. Socrate, dans le Banquet de Platon, évoque le citoyen athénien Nicératos, en mentionnant combien il aime sa femme d'amour et en est aimé de même. Toutefois, l'exemple le plus significatif d'amour mutuel et de dévouement est celui de **Périclès** et d'**Aspasie.**

Cette liaison se caractérisait non pas par le mariage mais par le concubinage, étant donné qu'Aspasie était originaire de Milet. Elle ne venait pas d'Athènes ni d'aucune autre ville ayant reçu d'Athènes le droit d'épigamie et Périclès ne pouvait par conséquent pas s'unir à elle dans le cadre d'un mariage légal.

Ils vécurent cependant tels des époux épris l'un de l'autre, de manière scandaleuse pour leur époque. Leurs contemporains ne pouvait admettre le fait que l'illustre Périclès ait accordé une place si honorable à une concubine Milésienne.

Selon Platon, la relation entre l'homme et la femme ne convenait pas d'être appelée "amour" dans le sens évoqué dans le chapitre sur l'amour. Toutefois le fait que l'union de l'homme et de la femme conduise à la procréation puis à la naissance, rend cet acte divin car la fécondité et la procréation assurent une sorte d'immortalité. **Aristote,** qui fut l'élève de Platon, bien plus tard, accorde une grande importance au mariage. Il considère les époux aussi responsables l'un que l'autre du maitien de la fidélité conjugale. Il reconnaît à la femme non seulement le droit d'être une compagne séduisante, mais aussi une amie tendre et une confidente.

Une femme orne de branches de myrte une cruche loutrophore destinée au bain nuptial de la mariée.
Le mur est recouvert d'une couronne. (Représentation du Ve s. à Érétrie, Musée Archéologique d'Athènes).

La cérémonie nuptiale

*P*uisque nous évoquons le sujet du mariage, il convient d'étudier rapidement le rituel de l'époque et de voir comment un couple de l'antiquité unissait son destin et quel était le sens donné à ce lien.

Avant tout, le mois privilégié pour cet événement était le mois de Gamélion (janvier), le septième du calendrier d'Attique et de Délos. Il portait ce nom en raison de la fréquence des mariages qui s'y déroulaient. La cérémonie durait trois jours. La future fiancée faisait tout d'abord ses adieux à son enfance, en consacrant ses jouets à Artémis. Il s'agissait généralement d'instruments de musique, de poupées, et d'un ballon et également du cécryphale, sorte de résille qui retenait ses cheveux. Elle faisait également cadeau de l'une de ses boucles. Venait ensuite le bain de la fiancée. Un jeune garçon, parent de la fiancée et dont les deux parents étaient encore en vie, apportait dans une grande amphore de l'eau de la rivière. Pour le bain nuptial de la fiancée athénienne, l'eau provenait du fleuve Callirhoé et pour la fiancée de Thèbes, de la rivière Ismène. La fiancée troyenne se baignait quant à elle dans le fleuve Scamandre tout en prononçant les paroles: *"Prends ma virginité Scamandre".* Ce bain avait lieu après le crépuscule, d'après ce que nous pouvons observer sur les représentations de vases, où le cortège tient des torches enflammées durant la cérémonie. La porte principale et la maison de la

Aristote

Aristote naquit à Stagire, en Chalcidique, en 384 av. J.-C. et mourut à Chalcide en 322 av. J.-C. Il vécut un grand nombre d'années à Athènes, où il devint l'élève de Platon. Il fut le plus grand philosophe de tous les temps et son œuvre constitua la base de la plupart des sciences modernes. Toutes les sciences naissent de la pensée aristotélicienne.
Son apprentissage auprès de Platon et sa succession à ce dernier dans l'École de philosophie, constitua le fondement de cette brillante évolution. Son œuvre, dont l'étude présente un intérêt particulier, comprend de nombreux sujets: Théologie, Cosmologie, Psychologie, Biologie, Éthique et Réflexions sur la ville. L'École qu'il fonda fut appelée l'École de la Promenade ou École Péripatéticienne. Aristote fut également le maitre d'Alexandre le Grand.

fiancée étaient décorées de guirlandes de fleurs et de fruits, tandis que la fiancée se parait d'atours somptueux, mettait des chaussures spécifiques, portait une couronne de myrte ou un diadème et s'enroulait dans un voile qui lui couvrait le visage.

Venaient ensuite les sacrifices aux dieux nuptiaux, Zeus, Héra, Aphrodite, Pithoo et Artémis, puis enfin les mariés prenaient place pour le repas de noces.

La "nympheutria", une femme qui dirigeait la cérémonie du mariage, conduisait la fiancée, qui était couverte du voile, jusqu'à la table. Lorsque le repas prenait fin, on découvrait enfin le visage de la jeune-fille, ce qui signifiait l'achèvement officiel de la cérémonie nuptiale. Le fiancé offrait alors à son épouse des cadeaux. Le cortège de la jeune fille, avec à sa tête la nympheutria, tenant des torches enflammées, accompagnait la fiancée jusqu'à la maison de son époux où elle devait dès lors habiter. Là, on offrait au couple des pommes ou des coings, puis il était directement conduit à la chambre nuptiale (thalamos). À l'extérieur, le cortège des jeunes filles chantait l'hymne nuptial. Le lendemain de la nuit de noces, la fiancée recevait des cadeaux de la part de ses parents et de sa famille.

Mariage à Sparte

Si à Athènes le mariage n'était pas obligatoire, dans le sens impérieux de la loi, à Sparte et dans les villes doriennes il n'en allait pas de même. Le souci de garantir une descendance était étroitement lié à la liberté des jeunes filles qui circulaient en tuniques courtes au milieu des garçons. Comme l'indique Plutarque, Lycurgue, le législateur spartiate, pensaient que la vue de jeunes filles à moitié nues conduiraient les jeunes gens au mariage ou en d'autres termes, comme l'aurait exprimé Platon, *"la force impérative de l'amour est encore plus puissante que la géométrie"*.

En dehors de cela, la loi prévoyait en outre de faire subir une rude épreuve au célibataire endurci ou indécis. Quelle punition lui infligeait-elle?

Elle l'obligeait tout simplement à sortir en plein hiver avec pour seul apparat une feuille de figuier et à faire le tour de la place publique en chantant une chanson le ridiculisant, dans laquelle il avouait qu'il se trouvait dans cette situation désavantageuse par refus d'obéir à la loi, qui institue le mariage pour tous les citoyens loyaux.

Aristophane

Aristophane fut le poète majeur de la comédie antique, et il fut au cœur du style de la comédie, ultérieurement. Il naquit vers 450-444 av. J.-C. et mourut en 385 av. J.-C. Seules 11 de ses comédies, qui ne représentent qu'1/4 de toute son œuvre, ont été conservées. Les plus célèbres d'entre elles sont: "Les Oiseaux", "Les Nuées", "Les Cavaliers", "Les Acharniens", "Lysistrata", "Les Grenouilles", "Plutus", "Thesmosphories". Il est célèbre pour sa liberté de langage et pour les obscénités qu'il emploie dans ses dialogues réalistes.
Il fait la satyre de presque toutes les grandes personnalités de son époque, et même de son maître Socrate.

Venons en au mariage spartiate. Ici, la cérémonie tournait court. Le fiancé se mariait en
enlevant sa femme qu'il conduisait auprès de
la nympheutria, qui après lui avoir coupé les
cheveux ras, la parait de vêtements disgracieux et de chaussures d'homme, puis la
couchait sur une paillasse, seule et dans
l'obscurité la plus totale.

Après avoir mangé en compagnie
de ses amis comme chaque soir, le
fiancé s'échappait de son bataillon et
courait rejoindre la fiancé. Dès qu'il
entrait dans la chambre, il la soulevait,
l'allongeait sur le lit où le mariage s'ac-
complissait. Lorsqu'ils se sentaient suf-
fisemment unis par le lien d'époux, le
jeune marié courait rejoindre ses compagnons, en prenant soin de ne pas être
découvert tout le long du chemin, et il allait
dormir dans son camp, comme chaque soir. Les
époux se retrouvaient de la même manière presque
à chaque fois. Il existait à Sparte des couples qui
avaient des enfants et qui ne connaissaient quasiment
pas le visage de leur époux.

Nous avons vu quelle était l'attitude plutôt froide des
hommes de l'antiquité vis à vis de leur conjointe durant
l'époque classique. Cette attitude se justifie probablement
par le fait qu'ils entretenaient des relations avec d'autres
compagnes, chose qui était parfaitement admise à cette
époque. On ne peut donc pas parler d'infidélité masculine. Leur infidélité était protégée par la loi. Mais qu'en
était-il de l'infidélité de la femme? Ici les choses
changent. L'adultère de l'épouse constituait un délit et
il était un motif de divorce. Les hommes qui
souhaitaient répudier leur femme pouvaient donc
divorcer, mais ils le faisaient rarement car comme
nous l'avons mentionné plus haut, ils devaient
dans ce cas restituer la dot. Se retrouver d'un
jour à l'autre sans le moindre sou n'était en
effet pas chose facile.

La jeune épouse reçoit
les cadeaux d'amis et de parents, le lendemain du mariage.

À Sparte en revanche, si dans le domaine de la culture la cité était un peu en retard, elle était en revanche à l'avant garde dans d'autres domaines. Si l'on en croit les propos de Plutarque, les femmes spartiates avaient une vie beaucoup plus agréable. Elles faisaient la connaissance d'autres hommes et cela avec l'accord de leur époux. Lycurgue, ce législateur génial, eut l'idée suivante afin d'éviter le sentiment de jalousie: si une jeune femme était mariée à un homme âgé, ce dernier pouvait s'il le souhaitait amener à sa femme un jeune homme fort et de bonne famille afin d'obtenir grâce à lui un garçon sain. Un homme digne avait en outre le droit s'il faisait la connaissance d'une femme belle, féconde et dotée de nombreuses qualités, d'aller la quérir auprès de son mari afin qu'elle lui mette au monde des enfants forts et sains. Plutarque pose ici la question au législateur: pourquoi lorsque l'on effectue des croisements d'animaux choisit on toujours avec soin les meilleurs mâles et cela souvent contre rémunération et pourquoi n'en serait-il pas de même lorsqu'il s'agit de femmes ayant un époux malade ou sot?

Les relations entre l'homme et la femme n'ayant jamais été au cours des siècles celles de la jument pur sang et de l'étalon quant à la reproduction de la race, cette pensée ne s'est donc jamais concrétisée, pour autant comme le prétend Plutarque qu'elle ait jamais été formulée.

Si l'image du mariage dans l'Antiquité ne laisse pas grande place à notre protagoniste qui est ici l'amour, rappelez vous qu'à cette époque, en dehors de son rôle d'épouse, la femme possédait d'autres visages érotiques, comme nous le verrons par la suite.

Le cortège nuptial (Peintre des cavaliers. Cratère aux anses en forme de cônes, 580-570 av. J.-C.)

4

LE MARCHÉ DE L'AMOUR

Les Hétaïres - Les Pallakè
La Prostitution

Les Hétaïres

En abordant des thèmes tels que les hétaïres, les pallakè et la prostitution, nous ne pouvons manquer de penser que dans une société aussi prospère et démocrate que celle de la Grèce ancienne, le plus vieux métier du monde n'aurait pu manquer. En effet l'amour payant était très répandu. Dans les sociétés primitives, cela ne revêtait pas la forme d'échange commercial, mais il s'agissait de rites religieux au cours desquels les jeunes filles sacrifiaient leur virginité aux dieux. Elles portaient le nom de "iérodoulès" et il s'agissait de prostituées sacrées qui étaient au service de la déesse de l'amour, Aphrodite. Tout au long de leur vie elles se consacraient à la prostitution sacrée en remplissant un devoir religieux qui avait pour but leur émulation avec la déesse. Durant l'antiquité on considérait comme hétaïres les femmes célibataires qui vivaient librement, avec l'argent qu'elle gagnait en offrant leur corps aux hommes et en leur proposant des services érotiques. Ce genre de femmes était très répandu. Selon **Strabon**, les corinthiennes à elles seules en comptaient plus de 1000. Durant l'époque classique, avec ses célèbres et onéreuses hétaïres, Corinthe constituait un pôle d'attraction, fréquenté par une foule de marins, de riches commerçants, de grecs et d'étrangers qui venaient dépenser leur fortune. Il en reste d'ailleurs une expression qui a survécu du grec ancien et qui indique qu'il n'est pas donné à quiconque de se rendre à Corinthe. La ville abritait également des lieux de prostitution religieuse. De nombreuses corinthiennes étaient très pieuses et elles vénéraient les dieux auxquels elles faisaient de nombreux dons et des dédicaces, surtout celles qui gagnaient bien leur vie. La plupart des femmes qui firent leur voie dans ce métier étaient des esclaves affranchies ou des femmes indigentes.

Femme en train de cultiver de manière symbolique la fertilité, en arrosant des phallus.

Diphile

Poète athénien qui écrivait également des poèmes goguenards. Il fut l'un des poètes les plus célèbres de la nouvelle comédie. Il vécut au IVe siècle.

Alcibiade

Homme politique athénien et chef militaire, qui naquit en 452 av. J.-C. et mourut en 404. Il perdit très jeune ses parents et il eut pour tuteur Périclès, qui ne put cependant pas surveiller de suffisamment près son éducation, ce qui eut des résultats fâcheux pour la personnalité morale d'Alcibiade, pour Athènes et pour la Grèce entière. Le philosophe Socrate lui-même, ne parvint pas à l'influencer de manière positive. Sa beauté, son charme, sa diplomatie, sa bravoure le firent se distinguer dans de nombreuses batailles mais il était incoercible dans sa vie privée. Il transgressait les lois et provoquait l'opinion publique en créant des scandales. C'était un orateur talentueux, un grand général, mais il ne possédait aucune valeur morale.

Chaque hétaïre exploitait ses grâces et sa beauté naturelle tout en vivant dans le luxe, puisqu'elle était généralement entretenue par un homme riche qui l'entretenait pour une période indéfinie. Nous pouvons donc donner au terme hétaïre le sens d'amante et non de prostituée, que nous évoquerons plus bas.

Bien que nous ayons fait référence aux hétaïres de Corinthe comme étant les plus onéreuses et les plus réputées, celles qui connurent la célébrité furent celles d'Athènes, car leurs relations avec des politiciens, des artistes, des poètes et des philosophes, avaient pour résultat d'associer leur nom à ceux de ces personnalités.

C'est ainsi que devinrent célèbres les liaisons entre le grand peintre **Praxitèle** et **Phryné**; entre **Ménandre**, l'auteur de comédies, et Glykère; entre le poète **Diphile** et Gnathène, entre **Épicure** et Léontine. **Alcibiade**, devint célèbre en raison de la passion qu'il vouait à Timandre, la mère de la légendaire Laïdaî, qui fut la maitresse du thessalien Hippoloque et la rivale de Phryné.

Le philosophe **Aristippe** eut une liaison avec une autre hétaïre portant également le nom de Laïda et qui vécut à la fin du Ve siècle. Le célèbre orateur **Hypéride,** fit lui aussi la connaissance de Phryné, mais il se lia ensuite avec Myrinna, qui était considérée comme l'une des hétaïres les plus chères.

Il semble que l'orateur ait eu des revenus convenables, puisqu'il entretenait parallèlement Aristagore et Phila. Il les avait installées toutes les trois dans ses maisons d'Athènes, du Pirée et de Corinthe.

Leurs beautés naturelles mises à part, ces femmes portaient un soin tout particulier à leur apparence et cela de manière à se distinguer. L'écrivain satyrique **Lucien** décrit de manière caractéristique.

"... Les hétaïres et surtout les plus laides d'entre elles, portent des vêtements d'un rouge éclatant et ornent leur cou d'or, car elles veulent provoquer grâce au luxe et dissimuler leurs défauts par des ornements. Elles pensent que leurs bras seront plus beaux si elles les recouvrent de la lueur brillante de l'or et que leurs jambes laides s'embelliront si elles portent des chaussures dorées et enfin que leur visage sera plus gracieux avec des bijoux étincelants".

Nous avons mentionné ci-dessus des couples dont le nom resta gravé dans l'histoire. Il faut toutefois distinguer le couple le plus célèbre d'entre eux qui fut formé par Périclès et Aspasie et cela à juste titre puisque Aspasie, cette hétaïre Milésienne fut celle qui conféra un certain prestige aux femmes de cette classe sociale, grâce à ses qualités rares. Elle disposait de beaucoup d'esprit, d'une grande culture et de beaucoup d'éducation, chose qui impressionnait les hommes de son époque. Périclès, auquel elle était fidèlement dévouée, vécut avec elle jusqu'à sa mort et il eut un enfant d'elle. De nombreuses hétaïres se cultivaient et étaient lettrées, mais cela n'était toutefois pas le cas général. La plupart d'entre elles usaient principalement de leur beauté et de leur féminité. L'amour, à cette époque là également, florissait partout et indépendamment de la culture de l'hétaïre, de nombreuses liaisons fondées sur un amour et une confiance réciproque s'étaient développées. À la mort de sa femme Pythias, le grand philosophe Aristote se lia avec Erpyllida et il engendra avec elle un fils qui se nomma Nicomaque, tout comme le père d'Aristote. Thémistocle, le grand guerrier de la bataille de Salamine, était le fils d'un citoyen athénien et d'une hétaïre originaire de Thrace, se prénommant Avrotone. Cela ne l'empêcha cependant pas de devenir l'homme le plus glorieux de son temps. Un autre géneral, Timothée était le fils d'un grand guerrier nommé **Conon** et d'une hétaïre, chose qui entrainait les railleries de la part de ses contemporains. Mais Timothée disait:

"Je suis reconnaissant à ma mère de m'avoir donné Conon pour père".

Scène du Banquet. à droite, deux jeune-hommes, dont l'un joue (il fait tourner la cruche sans renverser le vin). à gauche, deux hommes mûrs sont ivres. Au centre, une hétaïre nue joue de la flûte.

Hypéride

Orateur athénien originaire d'une famille riche, qui vécut entre 390 et 322 av. J.-C. Il rédigea au départ des discours juridiques en tant que logographe, puis il participa ensuite aux affaires publiques d'Athènes. En tant que politicien, il faisait preuve d'une équité exemplaire et il fut le grand partisan de Démosthène. On a conservé un grand nombre de ses œuvres qui se caractérisent par leur simplicité et par leur clareté. Il utilisait de nombreuses expressions ou de nombreux termes issus de la comédie et il évitait les figures de rhétorique, car il ne cherchait pas à impresionner le public. Sa personnalité lui valut une grande estime de la part de ses contemporains.

Lucien

Le plus grand écrivain du IIe s. ap. J.-C. Il naquit à Samosate, en Syrie. Il apprit la langue grecque et la réthorique puis il suivit des cours de rhétorique sophiste, en Ionie. Il voyagea dans de nombreuses villes grecques et participa aux Jeux Olympiques de Rhétorique ou l'on apprécia son talent. Il laissa derrière lui une œuvre littéraire riche d'études, de discours, de dialogues et d'!changes de correspondance.

Conon

Général athénien qui vécut vers la fin du Ve s. et le début du IVe siècle. C'était un homme remarquable et il parvint à rétablir l'hégémonie grecque. Durant la guerre du Péloponnèse, il fut fait amiral et fut à l'origine du succès de nombreuses missions. Ses contemporains le considéraient comme un homme courageux, vertueux et honnête.

45

Hétaïre jouant de la flûte
aux convives d'un banquet,
sur un vase à anse d'Euphronios.

On comprend donc facilement pourquoi le mariage connaissait une crise. Comment aurait-il pu en être autrement étant donné que les époux se connaissaient rarement avant le mariage et que tout était réglé par leurs parents respectifs, tandis que parallèlement les jeunes gens pouvaient trouver avec la plus grande facilité tant de femmes intelligentes et désirables.

Les parents incitaient bien entendu leurs enfants au mariage afin qu'ils fondent une famille ou se cultivent, comme cela nous est indiqué par l'un des "discours de société" de Lucien. La jeune hétaïre Drosis a perdu son bien aimé Clinias, qui lui envoie par l'intermédiaire d'une amie fidèle une lettre, dans laquelle il écrit entre autre :

"De l'amour que je te portais, Drosis, j'ai les dieux pour témoins, mais je dois maintenant t'éviter, non par haine mais par obligation, car mon père m'a remis entre les mains d'Aristenete afin qu'il m'enseigne la philosophie et celui-ci ayant eu vent de notre liaison m'a fait le sermon et m'a dit qu'il n'était pas convenable que le fils d'Architèle et d'Erasiclée vive avec une hétaïre et qu'il valait mieux que je préfère la sagesse au plaisir.

Mais revenons à notre sujet. Les joueuses de flûte, les chanteuses de cantiques religieux, les musiciennes constituaient une autre catégorie d'hétaïres, qui étaient généralement invitées aux banquets afin de distraire les invités. Elles y jouaient généralement de la guitare, de la flûte, elles chantaient, dansaient et tenaient compagnie aux hommes. Ces "artistes" étaient la propriété d'un maître qui s'occupait de faire leur éducation et qui les louait en quelque sorte à des particuliers qui organisaient des divertissements. Naturellement, lors de ces banquets, la débauche et le divertissement dépassaient souvent les limites étant donné que le maître de maison obligeait les convives à boire en abondance, si bien que le banquet se terminait par des orgies avec les hétaïres, comme nous pouvons le voir sur les représentations antiques des vases qui ont été sauvegardés.

Laïda

Deux hétaïres portèrent le nom de Laïda. La plus ancienne était originaire d'Hyccara, en Sicile et elle était la fille de Timandre, qui se lia à Alcibiade. Contemporaine et égale de Phryné sur le plan de la beauté, elle fut lapidée par les femmes de Thessalie, où elle s'était rendue afin de suivre son bien-aimé Hippoloque.
La plus jeune, la Corinthienne (Ve - IVe siècle) était avide de richesse et vénale. Elle fut aimée par le philosophe Aristippe. On raconte qu'elle se comporta de manière désintéressée uniquement avec le philosophe Diogène.

Je suis pomme.
Et c'est à toi, Xanthippe,
que me lance celui qui t'aime.
Accepte-moi, car le sort veut
que toi et moi
nous flétrissions.

Platon

Hétaïre allongée sur un divan,
(vase d'Euphronios.)

La connaissance et la liaison avec ces femmes était chose facile, puisqu'elles circulaient librement partout: dans l'agora, au théâtre, aux thermes, dans le temple d'Aphrodite, et dans les rues, choses qui était strictement interdite aux femmes respectables. Comme nous l'avons déjà indiqué plus haut, leur habillement était caractéristique et très soigné, de manière à attirer l'attention. Elles portaient en outre souvent des chaussures spécifiques dont la semelle était ornée de clous qui laissaient sur le sol des empreintes formant un message dont le contenu était une réelle provocation érotique, telle que "suis-moi", "je t'attends" etc.... Tout cela tend donc à montrer que deux mille cinq cent ans plus tard, on ne constate aucun changement considérable dans ce domaine. En ce qui concerne la façon dont le jeune homme intéressé exprimait sa préférence, on assiste là au fameux "lancer de pomme", qui consistait pour le jeune homme à lancer une pomme à l'hétaïre de son choix.

La clientèle des hétaïres était constituée par les jeunes les plus riches de l'époque car comme nous l'avons vu plus haut, la fréquentation des hétaïres représentait une dépense onéreuse qui n'était pas à la portée de tout un chacun. Les hétaïres pour leur part se servaient de ce moyen pour gagner leur vie et les cas où ce métier se transmettait de mère en fille n'étaient pas rares, comme par exemple avec Timandre et sa fille Laïdas. La misère poussait de nombreuses mères à diriger leurs filles vers ce métier afin qu'elles pourvoient à leurs propres besoins ainsi qu'à ceux de leur mère.

Un autre extrait des "dialogues de Société" de Lucien est révélateur à ce sujet. Voyons donc ce que dit Crobyle à sa fille Corinna:

"— Tu vois Corinna, il n'est pas aussi terrible que tu le pensais pour une petite fille de devenir une femme. Tu sais désormais ce qu'il en est, puisque tu t'es étendue avec ce beau jeune-homme et que tu as gagné une mna, ton premier gain, avec lequel je vais t'acheter un joli bijou.

— Oh oui, chère maman, je veux que tu m'achètes un collier de perles rouges comme le feu, semblable à celui de Philénide.

— Oui c'est un de la sorte que je t'achèterai. Mais entends quelques conseils sur la conduite à adopter avec les hommes, car ma chère fille nous n'avons d'autre moyen de vivre. Cela fait maintenant deux ans que ton défunt de père nous a quittées... j'espérais cependant qu'en grandissant tu obtiennes la richesse, des bijoux et des servantes.

— Et comment cela est-il possible, maman. Que veux-tu dire?

— Il te suffit de tenir compagnie aux hommes, de te distraire et de t'étendre auprès d'eux.

— Comme Lyre, la fille de Daphnède?

— Oui!

— Mais ... c'est une hétaïre!

— Eh bien? Qu'y a t-il de mal à cela? Tu deviendras riche tout comme elle et tu auras des amants. Pourquoi pleures-tu mon enfant? Ne vois-tu pas que ce genre de femmes est très répandu, combien elles sont aimées par les hommes et quel argent elles gagnent?..."

Mais laissons Crobyle à son ...catéchèse, afin de souligner une fois de plus les liens étroits qu'entretenaient certaines hétaïres avec des athéniens célèbres. En dehors d'Aspasie, qui fut la sage conseillère de Périclès et la fervente admiratrice de son œuvre, nous distinguons également Timandre, l'hétaïre d'Alcibiade, qui lui était si dévouée que lorsque ce dernier mourut, elle lui arrangea un enterrement somptueux. La célèbre Laïdas quitta sa profession lucrative afin de se dévouer corps et âme à Hippoloque, l'homme qu'elle aimait pas dessus tout. On est également impressionné par l'attitude de l'orateur Hypéride, qui séduit par les charmes de Phryné, la défendit lors du procès grâce à ses talents d'orateur, lorsqu'elle fut accusée de irrespect. Elle échappa à la sentence de mort, quand en usant de la célèbre ruse il la fit se dévêtir devant les juges qui furent éblouis par sa beauté divine.

Phryné

Célèbre hétaïre du IVe siècle, qui naquit à Thespies vers 371 ou 365 av. J.-C. et mourut à Athènes, où elle vécut, en l'an 310. Son véritable nom était Mnésarète, qui signifiait "celle qui se souvient de la vertu". Elle fut appelée Phrynée en raison de la pâleur de son visage (Phrynos signifie grenouille).
Son extrême beauté l'aida à se lier à de nombreux hommes célèbres, mais sa liaison la plus longue et la plus célèbre fut celle avec Praxitèle.

La Vénus de Milo.

Praxitèle

Il naquit à Athènes au début du IVe siècle et vécut jusque vers 330 av. J.-C. Il fut l'un des sculpteurs les plus importants de son époque et fils du sculpteur Céphisodote. La plupart des renseignements concernant Praxitèle nous ont été fournis par les textes des écrivains antiques qui se réfèrent à son œuvre. Parmi ses œuvres les plus célèbres, seuls quelques originaux ont été conservés, comme par exemple "Hermès avec Dionysos enfant", mais on possède un grand nombre de répliques. Sa liaison avec l'hétaïre Phryné caractérisa sa vie et son œuvre, puisqu'elle lui servit de modèle pour bon nombre de ses ouvrages. Elle voyagea en Asie Mineure où elle travailla aux reliefs décoratifs des colonnes du temple d'Éphèse, qui fut considéré comme l'une des sept merveilles du monde antique et qui fut incendié par Hérostrate, en 356 av. J.-C. La finesse artistique de son style, laissa derrière le sculpteur une école entière d'artistes.

La Vénus de Rhodes.

Phryné qui servait de modèle à son bien-aimé Praxitèle pour la confection des statues d'Aphrodite, lui écrivit dans l'une de ses lettres:

"...La seule faveur que tu ne m'aies encore accordée est celle de venir t'allonger auprès de moi, ici, dans ce temple où tu as érigé ma statue, près de celles d'Aphrodite et d'Éros. Comment se pourraient-ils que nous offensons des dieux que nous avons nous-même créés?".

Les choses que Phryné parvint à réaliser grâce à sa beauté ne s'arrêtent cependant pas là. Elle amassa tant de richesses que lorsqu'en 335 av. J.-C., Alexandre le Grand détruisit Thèbes, elle proposa de la reconstruire, à condition que les Thébains ornent l'entrée de la ville de l'inscription suivante: "Alexandre nous a anéantit, mais l'hétaïre Phryné nous a rebâtis". Ce souhait ne fut cependant pas exaucé car les Thébains craignirent que sa gloire n'influence leurs femmes et que ces dernières ne cherchent à l'imiter, comme nous l'indique Callistrate. Cependant, sa beauté divine inspira Apelle pour le portrait de "l'Aphrodite Anadyomène", lorsqu'au cours de fêtes consacrées à Poséidon, à Éleusis, elle se jeta nue dans la mer, les cheveux déliés.

Il semble que personne ne soit resté indifférent face à une belle hétaïre, et certains jeunes-hommes souhaitaient même parfois en rencontrer une qu'ils ne connaissaient que de réputation. C'est, selon les dires de **Xénophon,** dans une rencontre de ce type que s'engageait Socrate, mais lorsqu'il rencontra la superbe et riche hétaïre Théodote, il se trouva en train de lui donner des conseils pour obtenir des clients, puisque, comme il le dit lui même en s'apercevant de son raffinement, une foule d'amants représente un gain plus important que de nombreux troupeaux de moutons. Théodote ne manqua bien entendu pas de lui demander son aide quant à la quête de clientèle, puisqu'il était évident qu'un lieu fréquenté par Socrate attirerait une foule d'hommes.

Mais le philosophe déclara qu'il devait déjà s'occuper de ses propres amantes, et il déclina la proposition en concluant:

"Je viendrai lorsque tu m'y inviteras, à condition que ne se trouve pas à mes côtés quelqu'un que j'aime plus que toi".

Aphrodite rencontrant Éros. Idole hellénistique (Berlin).

Démosthène

Il était le plus grand et le plus célèbre orateur de la Grèce antique et l'un des hommes politiques majeurs d'Athènes. Il naquit en 384 dans une famille aisée et mourut en 322. Mais il perdit ses parents et ses tuteurs ne se préoccupèrent pas de son enseignement et de son exercice corporel, comme le voulaient les habitudes de l'époque, et il resta donc chétif. Il développa en revanche son éducation avec tant de vigueur et il s'exerça tant à la rhétorique, qu'il réussit à surmonter son zézaiement naturel en effectuant d'interminables exercices de prononciation. Il devint l'orateur le plus brillant grâce aux excellents discours qu'il déclamait. Ses célèbres "Philippiques" et ses écrits sont admirables. Il fut le plus grand et le plus énergique adversaire de Philippe. La véhémence et la fougue de ses discours se caractérisaient par un ton d'emportement qui puisait cependant toujours ses sources dans des valeurs morales.

Les Pallakè (concubines)

Les Concubines constituaient une autre catégorie de femmes qui tenaient compagnie aux hommes de l'époque. Elles vivaient sous le même toit que l'homme, sans être mariés. **Démosthène** institue certaines règles en définissant les divers rôles dans son discours intitulé "Contre Néaïra":

"Pour le plaisir nous avons les hétaïres, pour les besoins charnels quotidiens les pallakè et pour mettre au monde des enfants légitimes et veiller fidèlement sur la maison, les épouses légales".

Nous en déduisons donc que le statut de la pallakè se situait entre celui de l'hétaïre et celui de l'épouse. Elle vivait sous le toit de l'homme, elle pouvait le suivre pour assister à des sacrifices, ou lui tenir compagnie et le servir lorsqu'il recevait ses amis, choses qui étaient interdites aux hétaïres.

Au cours des années homériques, les Troyens et les Achéens entretenaient des pallakè et ils considéraient comme légitimes les enfants qu'elles mettaient au monde, tout en plaçant cependant leur mariage au premier plan. Les Troyens quant à eux, étaient polygames, selon l'exemple de Priam, alors que les Achéens possédaient une épouse légitime. Au Ve siècle, les hommes pouvaient, s'il le souhaitaient, entretenir des pallakè, mais la plupart d'entre eux étaient cependant monogames.

Hommes en compagnie d'une hétaïre. Vase attique à figure rouge, Ve s. av. J.-C.

Jeune fille dans un bassin
(Vase d'Onésime, 480 av. J.-C.)   **53**

Hétaïre lors d'une orgie avec deux hommes.

En vain tes serments.
Je sais tout, libertine.
Pour témoins tes tresses
couvertes de parfum.
Tes yeux qui ont veillé,
la couronne défaite au dessus
de ton front, tes cheveux
mêlés par les orgies et les
griseries.
Va-t-en, femme honteuse,
qui préfère l'ignominie.
C'est pour tois que joue la harpe
et que retentint le bruit
puissant des sonnettes.

Méléagre

Les droits de la pallakè, étaient toutefois assez proches de ceux de l'épouse et ses éventuelles richesses étaient intégrées à la caisse commune qu'elle tenait avec l'homme dont elle partageait la vie, sans pour autant que cette fortune constitue une sorte de dot. Les enfants mis au monde par des pallakè au cours de la période classique n'étaient quant à eux légitimes que si la pallakè était citoyenne athénienne. De nombreuses jeunes filles pauvres de l'époque devenaient des pallakè. En période de guerre particulièrement, il était fréquent que l'épouse et la pallakè vivent sous le même toit. Du Ve au IVe siècle, il n'était pas rare que des jeunes filles, principalement étrangères, se fassent entretenir avec ce statut.

La prostitution

Le métier le plus ancien se divisait lui aussi en divers catégories, étant donné que la société possédait plusieurs classes. Les athéniens nantis avaient des hétaïres et des pallakè, mais qu'en était-il des hommes moins aisés? Ce sont eux qui s'adresssaient aux prostitués. La prostitution qui a les mêmes fondements que l'hétaïra, joue également le même rôle, puisque la femme qui l'exerce vend son corps et ses services érotiques. La différence réside dans le fait que la pallakè est la maitresse d'un seul homme, l'hétaïre d'un nombre limité d'hommes qui se succèdent l'un à l'autre après qu'ils aient passé un certain temps ensemble, tandis que la prostituée est installée dans une maison spécifique où les clients se suivent ou encore elle sort dans la rue afin de trouver des clients, comme c'est le cas aujourd'hui encore.

Représentation sur un miroir en bronze présentant une scène dans une maison de prostitution.

*Réplique en marbre
de l'Aphrodite de Cnide
de Praxitèle.*

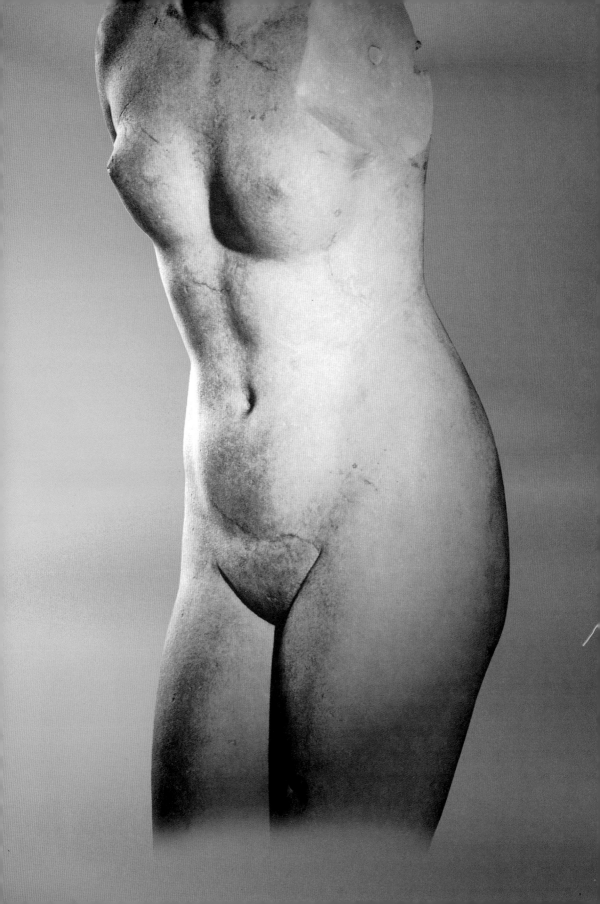

Archiloque

Archiloque fut l'un des plus grands poètes archaïques du VIIe siècle av. J.-C. Il était originaire de l'île de Paros et il consacra une grande partie de sa vie à la carrière militaire.
Il se distingue par le fait que ses vers se détachent des récits épiques pour se tourner vers le monde intérieur de l'homme, le "ici" et "maintenant", de manière avant-gardiste au niveau européen.
En tant que poète, il découvrit une nouvelle ère qui contribua à l'essor de la Grèce de l'époque. Dans ses poèmes magnifiques, dont on ne réussit malheureusement à conserver que quelques-uns, on discerne un style recherché qui le distingua en tant que poète élégiaque.

Le terme de "prostituée", apparaît pour la première fois dans un écrit du poète **Archiloque,** au VIIe siècle av. J.-C. et il provient du verbe "pernimi", qui en grec ancien signifie "vendre".

À Athènes, c'est Solon qui le premier institua les maisons closes (maisons de tolérance), au début du VIe siècle. Le législateur estima que cette mesure était indispensable afin de préserver les femmes honnêtes des assauts de la part des célibataires. Ces maisons portaient le nom de "maison de prostitution", "logis", "ateliers", "pédiskia" et "diktiria". Les prostituées étaient généralement des femmes étrangères, le plus souvent des esclaves, qui revêtaient des atours transparents ou restaient à moitié-nues en attendant les clients. Le prix fixé pour chaque visite était d'une obole. Les femmes qui travaillaient dans des maisons de tolérance privées se situaient à un niveau supérieur de la hiérarchie sociale, par rapport à celles des maisons publiques. Ce commerce constituait bien entendu une source de profit pour la cité athénienne, car toutes les femmes qui exerçaient ce métier étaient obligées de verser une sorte d'impôt. Il semble qu'il ait été difficile de se soustraire à cette redevance. Le seul moyen pour la jeune fille d'échapper à cet impôt était de se faire installer par un homme sous son toit, à titre de pallakè.

Scène érotique représentée sur une hache du Ve s. av. J.-C. L'homme, dont le désir est évident, s'approche de la femme. À côté, on distingue le coq, symbole de l'érotisme.

Voila donc la façon dont les choses se passaient au sein de cette société qui jouissait de la démocratie et d'une liberté presque totale.Tous ces récits concernant les hétaïres plus ou moins célèbres, et se rapportant à la dilapidation de richesses, aux amours exclusifs et à la naissance d'enfants en dehors du cadre légal de l'époque, nous amènent à la conclusion que la présence féminine émouvait le citoyen grec plus que toute autre chose.

Et si le contexte social et légal tenait la femme - compagne à l'écart de l'homme et désorientait ce dernier en l'embarassant d'obligations ou au contraire des libertés de son époque, ce dernier tel un aimant se tournait vers une présence féminine, afin de canaliser sa sensibilité et de restituer leur dimension exact aux paroles du grand Démosthène: "la plus belle créature est la femme".

*Je jure, sur Timo
ses belles boucles
sur son corps dont
émanent des parfums,
et me tient en veille,
et je jure sur les minauderies
d'Iliade,
et même sur cette flamme,
témoin d'une telle passion
que jusqu'au dernier souffle
qui de ces lèvres s'échappera,
oui, Amour, je te le jure
je t'en ferait don.*

Méléagre   59

5

AMITIÉS PARTICULIÈRES ENTRE HOMMES

**Les projecteurs ...sur l'homme
Pédérastie, une institution pédagogique
La position de la cité - Relations...pour hommes uniquement
Avec la sagesse pour finalité**

*L*a Grèce de l'antiquité était un monde régit par l'harmonie et la mesure et cela apparaît clairement si l'on tient compte du fait que ses critères demeurèrent les standards de référence au cours des siècles suivants. Les grecs réagissaient toujours avec sensibilité à la beauté et cela tout particulièrement dans le domaine de la nature humaine. Un corps harmonieux et sain, qu'il ait été celui d'une homme ou d'une femme, provoquait l'admiration. Mais les femmes étant confinées au sein du gynécée et reléguées au second plan, cela amena les hommes à reporter leur admiration sur leurs amis du sexe fort. L'antiquité place de manière évidente l'homme au centre de la vie et de l'intérêt intellectuel. Tout ce qui est considéré comme beau et bon (kalos kagathos, qui signifiait beau par le corps et l'esprit), devient un idéal. Forts de cette constatation, il ne faut donc pas laisser notre imagination errer vers des images d'amants entrelacés et d'orgies, car nous ne ferions alors que tomber dans les mêmes abîmes que bien d'autres avant nous, et cela principalement de la part des

chercheurs étrangers qui traduisirent des textes du grec ancien en oubliant de faire passer leur message à travers ces filtres qui les auraient adaptés au mode de pensée et à la mentalité de l'époque à laquelle ils se réfèrent. Leur erreur réside-t-elle dans le fait qu'ils avaient à faire à un monde très ancien, ou bien qu'ils n'étaient eux-mêmes pas grecs, ou encore cela tient-il au fait que la pensée actuelle est méfiante face à des mœurs qui favorisaient les contacts étroits entre hommes. La pédérastie, par exemple, qui dans toutes les langues revêt le sens d'une perversion amoureuse, constituait dans l'Antiquité une valeur pédagogique, basée sur l'amour pur et désintéressé et non sur des relations homosexuelles. Celui qui ne peut appréhender le sentiment ressenti par un grec ancien envers un garçon avantagé par la nature, et envisager cette liaison comme quelque chose de supérieur et de sacré, se prive de la dimension spirituelle de tout un monde et reste en dehors de tous les dons prodigieux que celui-ci peut offrir, sur les plans de la sensibilité, de la philosophie et de l'art.

L'athlète Antiphon, prêt à lancer le disque, tandis que son entraineur lui donne des instructions (Vase d'Eupronios, IVe siècle av. J.-C.).

Étant donné que nous allons par la suite employer à plusieurs reprises les termes amour, amoureux et amant, nous utiliserons des guillemets (" ") pour ces mots lorsque ceux-ci sont employés dans le sens que nous leur avons prêtés dans notre chapitre intitulé "Propos sur l'amour" et nous n'utiliserons pas de guillemets lorsque nous nous référerons à la liaison charnelle.

Pédérastie, une valeur pédagogique

*N*ous avons mentionné plus haut le fait que l'admiration des grecs pour la beauté était telle qu'ils l'avaient divinisée. Ils pensaient qu'un corps harmonieux doit être habité par un esprit sain, qu'il convient de cultiver. L'œuvre d'Homère, le plus grand poète de toutes les époques, est du début jusqu'à la fin un réel hymne à la beauté. Ses héros y ont de beaux visages, des corps jeunes et cela ne concerne pas uniquement le personnage d'Hélène, qui devint un standard de beauté.

Zeus, subjugué par la beauté du jeune Ganymède, a laissé son sceptre et sa foudre, les symboles de sa puissance. Ganymède tient un coq, symbole érotique (Intérieur d'une coupe à figure rouge de 460 av. J.-C.. Ferrara, Museo Archeologico di Spina).

Enfant apprenant la lecture
avec son maître,
sur la représentation d'un vase.

Dans le chant XXIV de l'Iliade, nous apercevons Priam, le roi des Troyens et père d'Hector, qui vient supplier Achille de lui remettre le corps de son fils défunt. En dépit de la peine et du désespoir qui l'envahissent, son esprit se laisse transpercer par une lumière qui provoque en lui de l'admiration face à Achille, ce beau jeune-homme qui a tué son propre enfant. Zeus se laissa lui aussi conquérir par la beauté, lorsqu'il amena à ses côtés le jeune Ganymède, provoquant ainsi divers commentaires, depuis l'Antiquité jusqu'à nos jours, quand à la nature de cet "amour". Xénophon, déclare dans son propre "Banquet":

"À mon avis, Zeus retint Ganymède sur l'Olympe non pour la beauté de son corps mais pour celle de son esprit".

Quoi qu'il en soit, cette attitude de Zeus renforce encore l'idée que la beauté constituait une valeur suprême dans le monde antique et qu'elle méritait respect et honneur de la part des dieux et des hommes. Et puisque la beauté est généralement l'apanage de la jeunesse, venons en à la "pédérastie", qui du VIe au IVe siècle av. J.-C. constituait la principale méthode éducative de la jeunesse masculine. L'âge idéal pour cet enseignement était celui de l'adolescence, entre douze et dix-huit ans. Le jeune garçon pouvait alors obtenir la compagnie d'un homme, qui selon la tradition devait être âgé de plus de vingt ans. Cela constituait donc un honneur et une chance pour un garçon que d'être pris sous la protection d'un citoyen qui jouissait de l'estime générale. Il était en revanche honteux pour un jeune garçon de ne pas bénéficer de l'honneur d'une telle amitié. Cette relation recueillait généralement l'approbation du père du garçon, qui était envahi par un sentiment de fierté si un homme digne de respect marquait une préférence pour son fils.

Xénophon

Grand historien athénien et disciple de Socrate, ayant rédigé une œuvre historique, philosophique et culturelle conséquente. Il naquit vers 431 - 430 av. J.-C., en Attique et mourut vers 351 av. J.-C. Il fut le premier chroniqueur de son temps et il écrivait librement ses opinions personnelles sur tous et sur tout. Son écriture est claire, sans emphase, expressive et simple. À ses diverses expériences, vint s'ajouter sa participation aux entreprises militaires de Cyrus le Jeune, roi de Perse, contre son frère Artaxerxès, aux côtés des franc-tireurs. Il fit le récit de tout cela dans son œuvre. En dehors de ses ouvrages les plus célèbres "l'Anabase", "Hélleniques", et bien d'autres, il fit lui aussi son plaidoyer en faveur de son maitre Socrate, avec ses œuvres "mémoires sur Socrate", "Banquet", "Apologie".

*Un château défendant la ville,
c'est ce que sont les hommes.*

Alcée

Représentation en relief d'athlètes dans les gymnases.

*Représentations ornant
l'intérieur d'un vase.*

*En haut: Jeune-homme remplissant
une coupe du vin contenu dans
une outre.
En bas: Un autre jeune-
homme transporte des amphores
remplies de vin.*

Cet homme avait la fonction de tuteur, de conseiller et il l'éveillait à toutes les vertus masculines.

La tradition trouve ses racines dans les mœurs doriques. Lorsque les Doriens envahirent l'espace helladique, avec la cruauté et l'audace excessive qui caractérisent un peuple guerrier, et en dédaignant les femmes, ils ouvrirent la voie à la "pédérastie", puisqu'en vivant dans les camps, ils devenaient par la force des choses, les instructeurs et les dirigeants des combattants de l'avenir.

C'est dans les palestres et dans les gymnases que les beaux garçons se faisaient remarquer. L'admiration provoquée par la beauté constituait le facteur principal qui permettait à un homme de choisir un jeune garçon, dont il souhaitait cultiver l'esprit afin d'en faire un homme de qualité. Socrate, habité par une candeur intérieure, s'offrait en tant qu'"amant" à ses élèves, car il estimait que seul celui qui ressent de l'amour pour quelqu'un d'autre, peut enseigner à ce dernier. En outre, pour progresser, la culture de l'esprit devait s'accompagner de la beauté. Et comme nous l'avons mentionné plus haut, la conviction grecque selon laquelle la beauté extérieure doit renfermer un monde intérieur harmonieux, constituait le critère prisé par tout maître sensé. La "pédérastie" dénote donc un "amour" spirituel, l'union d'esprits et non de corps. Dans son sens premier, il s'agissait d'un "amour" non accompagné par Aphrodite, comme le disaient les grecs anciens. Par sa présence, Aphrodite caractérisait l'amour charnel. Il est indéniable que la pédérastie dans le sens dans lequel on l'entend aujourd'hui constituait à cette époque là un crime grave qui était réprimé par la loi. Dans "République des Lacédémoniens", Xénophon indique que Lycurgue louait une forme d'éducation basée sur l'admiration d'un homme honnête envers l'esprit d'un enfant, et son effort visant à en faire un bon guerrier, afin de vivre heureux en sa compagnie. Il considérait en revanche comme une honte, tout type de passion orientée vers le corps de l'enfant. C'est pour cette raison que les "amoureux" spartiates évitaient ce genre de jouissances en appliquant la modération dans leurs plaisirs.

À Athènes, la pédérastie n'est observée que dans les classes aisées de la société. L' "amoureux", qui est un homme adulte, donnait des conseils et transmettait toutes les connaissances qu'il avait lui même acquises grâce à sa propre éducation et à son expérience, à son "amant" adolescent, qui en retour lui offrait la possibilité de jouir de sa beauté et de son charme. Et pour être plus clairs, il convient de préciser que l'"amoureux" tirait un certain plaisir à la simple vue du corps nu de son amant, dans l'enceinte du gymnase. L'"amoureux" lui offrait de nombreux cadeaux en contrepartie de son amitié. Ces cadeaux étaient généralement des pièces de gibier, un coq, un lièvre, ou un chien ou encore un vase dédié au jeune homme et sur lequel il inscrivait un commentaire élogieux.

À un homme brutal ton amitié
n'accorde pas
et ta compagnie encore moins.
Archiloque

Les vertueux
t'enseigneront la vertu.
Avec les malfaisants
si tu te mélanges
tu y perdras même ton esprit.
Theognis

Homme adulte barbu, faisant
cadeau d'un lièvre
à son jeune ami.

Représentations ornant l'intérieur d'une coupe. En haut: Un jeune-homme nu s'apprête à remplir la coupe du vin coulant d'une cruche. En bas: Jeune jouant de la musique lors d'un banquet.

Leurs discussions concernaient de nombreux sujets qui avaient pour but d'inculquer à l'adolescent des valeurs morales, le respect des lois, les bonnes manières, la politesse et l'éthique afin qu'il devienne un homme brave et courageux. Il l'accompagnait en outre au théâtre, il cultivait sa sensibilité à l'art et il l'aidait à développer son jugement.

L'adolescent lui devait respect et estime et il lui fallait, par son attitude, se montrer reconnaissant.

Nous ne pouvons toutefois passer sous silence le fait que le premier aspect de la liaison spirituelle qui unissait les bien-aimés, était complété par un deuxième aspect, comprenant des manifestations discrètes d'attouchements physiques de la part de l'"amoureux". Ces renseignements nous sont principalement fournis par les représentations ornant les vases et sur lesquelles on peut voir un homme en train de toucher les organes sexuels du jeune-homme. L'amoureux et l'amant se font toujours face. Il est donc évident qu'il existait des règles coutumières, qui régissaient le comportement de "l'amoureux". L'adolescent devait au départ éviter tout rapport physique avec "l'amoureux", jusqu'à ce que ce dernier montre qu'il était digne d'une telle concession, tandis qu'il ne devait pas rechercher son propre

Scène représentant un homme en train de caresser de manière érotique un jeune-garçon.

Homme et adolescent sur une représentation du VIe siècle av. J.-C.

plaisir à travers toute caresse. Il gardait une attitude sérieuse et pudique, et cela même au moment de l'étreinte et ne levait pas les yeux vers son compagnon. Le jeune-homme qui aurait semblé retirer une jouissance quelconque de cette étreinte était blâmable. Dans les cas extrêmes où l'adulte concluait son rapport sexuel, cela se faisait entre les cuisses du jeune-homme et toujours dans la position que nous avons indiquée plus haut. Toute position privilégiant le contact avec le postérieur de l'amant était strictement interdite et plus encore l'introduction de l'organe mâle dans tout orifice de son corps. Comme nous l'avons mentionné plus haut, l'adolescent ne participe pas à l'étreinte amoureuse, il peut seulement recevoir quelques caresses tendres de la part de son aîné, et non se soumettre à un rapport qui le réduirait au rôle de la femme ou à celui d'un objet érotique. Lui, le futur citoyen ne doit pas se déshonorer. Le rôle autoritaire appartient uniquement à l'homme et puisque l'adolescent se destine lui aussi à devenir un tel homme, il serait dégradant pour lui de se trouver dans cette situation passive de soumission et d'asservissement. Le caractère infamant d'une telle attitude nous est révélé par la représentation ornant un vase attique à figures rouges, qui présente un perse dans une position qui est également exprimée par l'inscription attenante: "Je suis Eurymédonte. Je suis penché". Derrière lui, on aperçoit un Grec en train de gesticuler et ayant les organes génitaux dans une position telle qu'elle ne laisse planer aucun doute sur ses intentions. Le message délivré par ce vase, réalisé après la victoire des athéniens sur le fleuve Eurymédonte, vers 460 av. J.-C., est donc tout à fait clair.

Le perdant et celui qui est humilié est donc celui qui se plie à un tel acte. Les amoureux adoptant une telle attitude sont blâmés par des injures. L'inverti, le débauché, l'impudique, l'impur constituaient des invectives employées à l'intention d'individus marginalisés et non admissibles dans la société.

Stèle en marbre provenant de Siphnos et représentant la tête d'Hermès ainsi qu'une effigie phallique (520 av. J.-C., Musée Archéologique National).

Orgie avec des Satyres.

Certains chercheurs ou simplement des lecteurs concluent d'après des inscriptions qui ont été conservées que les relations entre "amoureux" et "amants" étaient purement de type homosexuel. Nous éviterons ici de tomber dans l'écueil de l'exagération en reconnaissant que chaque époque connut des écarts par rapport à la règle, il faut cependant être très vigilant par rapport aux épigrammes. À l'époque, il était en effet très fréquent que quelqu'un écrive à l'intention de son ami **"Lysias est beau, oh oui" ou encore "Théogne est beau, par Zeus"**. Mais on trouva également des inscriptions à caractère injurieux, pouvant conduire à certaines conclusions. Par exemple, **"Crimon s'est accouplé ici avec Amotion"**. Si l'on tient compte du fait qu'à cette époque-là de tels mots n'étaient employés que dans le but d'humilier quelqu'un, nous adoptons alors une autre attitude. Dans le chapitre portant sur le marché de l'amour, dans l'un des "discours de société" de Lucien, nous rencontrons la jeune hétaïre Drosis, qui a perdu son amant, le jeune Clinias, car son père l'a confié au philosophe Aristenete, afin que ce dernier lui enseigne la philosophie. Vous vous souvenez probablement que dans sa lettre, Clinias indiquait que son maître lui interdisait d'avoir des liaisons avec une hétaïre.

Que pensez-vous que Drosis fit par la suite? Elle passa à l'offensive, grâce à l'aide de sa camarade, qui devait écrire sur le mur du Céramique, où le père du jeune-homme avait l'habitude de passer, le message suivant: **"Aristenete déprave Clinias"**. Voilà pour ce qui est des inscriptions et de ce qu'elles révèlent ou pas.

Je ne suis pas pédéraste.
Où vois-tu le plaisir
dans l'amour avec les
adolescents!
Il me faut toujours donner
mais sans rien prendre.
Mais, "une main lave l'autre"
et ainsi pour ma couche
je choisis la femme.
Avec des membres virils, poilus,
aucun lien je ne veux avoir.

Méléagre

La position de la cité

*L*e fait que "l'amour"soit présenté comme quelque chose de louable dans l'esprit de l'opinion publique avec une signification qui ne réduit pas la considération sociale, ne signifie pas pour autant que les parents et les légis-lateurs n'envisagèrent pas la minorité qui pouvait exploiter les jeunes gens à des fins répréhensibles. Les parents veillaient toujours à ce que leurs enfants ne puissent être déshonnorés et l'État veillait pour sa part à la morale de l'enseignement. Les lois de Solon, obligeaient les parents à ne pas envoyer leurs enfants à l'école avant l'aube et à les faire sortir des cours avant le coucher du soleil, afin qu'ils ne courent pas de dan-gers, seuls sur les routes. L'entrée dans l'enceinte de l'école était interdite aux autres jeunes ou à toute personne étrangère. Aristophane nous renseigne également sur les mœurs décen-tes de la génération des combattants de Marathon.

"Ils étaient assis sur la piste du stade, avec pudeur, veillant à adopter une attitude bienséante, tandis que lorsqu'ils se levaient, ils veillaient à recouvrir le sable afin de ne laiss-er aucune empreinte de leurs membres cachés et de provo-quer une obscénité quelconque et ils ne s'enduisaient pas non plus d'huile en dessous du nombril, laissant ainsi pousser un léger duvet, semblable à la peau des coings".

Linos, le musicien, enseigne la lyre à Iphicle, le frère d'Héraclès.

L'État prenait en outre diverses mesures afin de protéger les enfants de toutes sortes de pièges et cela même de la part de leurs propres parents, qui exerçaient l'autorité sur eux.

Si un père ou un tuteur confiait son enfant à une personne débauchée afin qu'ils aient un rapport charnel contre rémunération, c'est alors le tuteur qui était poursuivi et non l'adolescent. De son côté l'enfant était par la suite déchargé de l'obligation d'abriter et de nourrir son tuteur dans l'avenir. La seule obligation qu'il avait envers lui était de veiller à son enterrement, car il s'agissait là d'une loi imprescriptible s'appliquant à tous les morts et qui révélait un respect enraciné dans la religion. Conformément aux lois de Solon, des sanctions sévères et des poursuites pénales étaient engagées contre toute personne incitant enfant, femme et homme libre ou esclave à la débauche.

Nous en déduisons donc que la "pédérastie" d'un point de vue moral, possède un caractère spécifique basé sur un critère esthétique, religieux et pédagogique. Il a pour but le renforcement des institutions, le choix de vertus sociales et individuelles par le biais de la cité et elle est considérée comme un facteur pédagogique majeur. Il s'agit donc sans aucun doute d'une société préconisant les valeurs morales. Aristote, qui jugeait de manière très sévère le concept de pédérastie charnelle et qui la considérait comme une dépravation, prononça ces paroles caractéristiques:

"Les amants ne regardent aucun autre endroit du corps que les yeux, où se cache la pudeur".

Scène représentant des athlètes en train de s'entrainer dans le gymnase, sur une coupe attique d'Épictète (520 av. J.-C., Berlin, Antiken Museum). L'un des athlètes se prépare à lancer le javelot et l'autre le disque. Joueurs de flûte vêtus de tuniques, battant la cadence.

D'abord, qu'il soit un enfant et lorsque le moment viendra il apprendra les voluptés par la femme et à l'âge opportun, il trouvera seul la solution.

Solon

Relations... entre hommes uniquement

*D*ans les divers musées, mais aussi sur les images de nombreux livres, notre regard se trouve souvent attiré par le détail croustillant d'une représentation ornant un vase et présentant une scène d'orgie entre Satyres, ou entre Satyres et Ménades. Il serait naïf de croire que *"nous avons découvert des nouveautés... dans l'Antiquité"*, puisque de nos jours la pornographie internationale a créé des thèmes de tous types. Toutes les passions amoureuses étaient de tous temps connues, partout où se trouvaient les hommes. Le fait que les représentations ornant ces vases soient l'objet de malentendus, convient d'être étudié plus à fond, car certaines positions homosexuelles sont considérées par certaines personnes comme la "preuve" du mode de vie grec. Il convient tout d'abord de souligner le fait que les scènes représentant des Satyres, des Silènes et des Ménades, appartiennent au monde de la mythologie, où l'imagination de chaque artiste avait un champ de création très large. Le cortège qui accompagnait Dionysos était d'ailleurs effréné, car ces créatures mythiques symbolisaient les esprits orgiaques de la nature. Le dieu Priam, à l'immense phallus, ainsi que les figurines phalliques, sont en rapport direct avec une société régie par les hommes, la démonstration de la force et la fécondité. Ces représentations ne sont donc pas le reflet de la réalité, mais elles ont une fin artistique.

Les images représentent les convives d'un festin en train de se livrer à des étreintes amoureuses, concernent toujours des adultes et rien ne laisse penser qu'elles reflètent à travers l'art un fait réel. L'imagination des artistes est toujours libre d'exprimer selon son inspiration, le penchant personnel de l'artiste ou son humeur satyrique. Mais même si certaines de ces scènes sont le reflet d'une réalité, ces cas isolés ne sont en aucun cas représentatifs d'une situation générale, ou d'une période de l'antiquité. Il faut au contraire tenir compte du fait que la Grèce et principalement les grands centres urbains tels qu'Athènes, n'étaient pas seulement peuplés d'Athéniens, mais également de nombreux étrangers, colons, esclaves et affranchis.

Satyre ornant un vase à anse d'Euphronios.

*Détail d'une gigantesque effigie
phallique en marbre symbolisant
la puissance de création
de la nature à travers l'amour. (Delos)*

Théocrite

Le plus grand poète charismatique de la littérature grecque antique, de la période alexandrine. On prétend qu'il naquit vers 315 - 305 av. J.-C., à Syracuse et qu'il vécut relativement longtemps au sein de sa terre natale mais aussi à Kos. Il se distingua dans la poésie bucolique et écrivit de nombreuses "Idylles", nom qui fut donné à ses récits.
Ses héros vivent dans la nature et dans les Idylles il utilise la langue ionique avec des figures doriennes, tandis qu'en poésie il se sert de la langue dorienne comme base, avec des éléments éoliens.

Mais abordons donc ces liaisons particulières des Grecs anciens, qui ont fait couler tant d'encre. L'étude des épopées homériques ne laisse pas planer le moindre doute sur le fait que pour Homère et pour son époque, l'homosexualité était un phénomène inconnu. On ne décèle pas la moindre allusion à ce sujet chez les dieux ou chez les hommes. Le poète qui décrit de manière si élégante la beauté, la grâce et l'amour des hommes et des femmes, aussi discret qu'il ait voulu être, aurait certainement fait une insinuation quelconque à une liaison de ce genre. L'amour, avec ou sans guillemet, constituait déjà un sujet de discussion dans les sociétés les plus primitives.

En ce qui concerne le cas de Zeus et de Ganymède, il évoque simplement le fait que la beauté divine du jeune-homme était telle, qu'elle lui valut de vivre auprès des dieux, en tant qu'échanson de Zeus. La liaison qui unissait Achille et Patrocle était présentée par Homère, comme une amitié masculine idéale, dans la plus pure innocence. La tentative consistant à placer cette relation sous un autre angle, ne parvint pas à persuader la majorité, car le personnage d'Achille incarne l'idéal masculin de l'époque: il est l'homme attirant, qui fourvoya Déidamie, le fougueux amant de Briséis, le bien aimé de Polyxène, et le vaillant admirateur de la brave Penthésilée. Pour ce qui est de la liaison qui unissait Héraclès à Hylas, **Théocrite** écrit:

"Héraclès,... au cœur de fer... s'est épris d'un jeune garçon, le charmant Hylas, aux cheveux bouclés. Il lui a inculqué, tel un père à son fils chéri, tout ce que lui-même avait appris, afin qu'il devienne brave et digne des Muses. Il ne le laissa jamais s'éloigner de lui... il voulait... le façonner selon ses désirs... et qu'il devienne un homme idéal".

Dans le cycle thébain, nous observons qu'Héra envoie à Thèbes le monstrueux Sphinx afin qu'il punisse Laïos de ses amours coupables avec le beau Chrysippe, fils de Pélops. Laïos est également cité à titre d'exemple dans les "Lois" de Platon, qui dans cette œuvre condamne l'amour charnel entre hommes et montre la fin terrible connue par Laïos et les épreuves subies par sa famille.

Avec la sagesse pour finalité

*T*ous les comportements des grecs anciens étaient caractérisés par leur transparence. Plûtot que de dissimuler, ils essayaient d'expliquer les passions humaines. C'est une tentative de ce genre qu'effectue Platon dans le banquet, par les paroles d'Aristophane. Et c'est de là que provient le mythe suivant:

Autrefois, il y a de nombreuses années de cela, les humains étaient "doubles". Il s'agissait de créatures monstrueuses, qui étaient collées deux par deux, dos à dos. Ces couples étaient composés de manières diverses: ils étaient soit homme-femme, soit homme avec homme ou encore femme avec femme. Afin d'affronter ces créatures qui lorsqu'elles étaient unies étaient toutes puissantes, Zeus et les autres dieux, les séparaient en deux. Depuis, chacune de ces moitiés cherche son autre moitié. Si quelqu'un était uni à une femme, il est donc à sa recherche. S'il était uni à un homme, il ne se sent pas entier, tant qu'il ne l'a pas trouvé. Pour ce qui est d'une femme qui est attirée par une autre, cela signifie tout simplement que sa moitié était une femme.

Mais laissons ceux qui tentèrent d'arranger les choses à leur guise et abordons d'autres aspects du Banquet de Platon.

"Ceux qui portent en eux le souffle de l'amour, préfèrent celui qui est plus fort et qui a de l'esprit. L'amour juste n'incite pas à la pédérastie, car les enfants ne sont pas mûrs et ne possèdent pas de jugement".

"On considère comme indigne celui qui aime quelqu'un pour sa beauté et qui est amoureux de son corps et non de son esprit, car ce type d'amour est éphémère et s'envole. Celui qui est en revanche amoureux d'un caractère complaisant, demeurera amoureuxdurant toute sa vie".

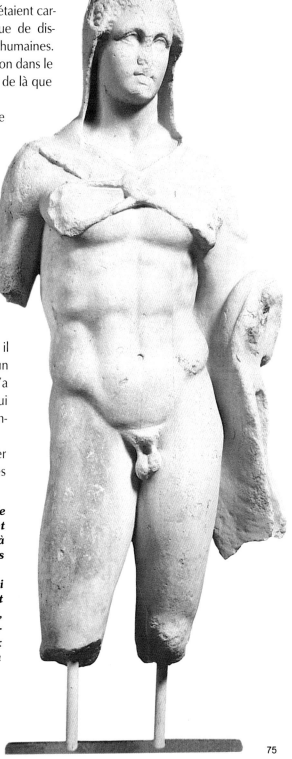

Statue athénienne d'Héraclès, du IVe s. av. J.-C.

Eschine

Orateur athénien, adversaire politique de Démosthène, qui vécut de 389 à 314 av. J.-C. Il faisait partie des dix orateurs de l'Attique. Étant issu d'une famille pauvre, il ne semble pas avoir étudié dans les écoles de son temps, mais il avait acquis une culture importante grâce à l'étude des tragédies, lorsqu'il avait pratiqué le métier d'acteur. C'était un athlète et un brave guerrier. Il fut au départ l'ennemi de Philippe, le roi de Macédoine, mais il fut plus tard plus amical à son égard et devint un partisan de sa politique, suite à l'engagement de la paix entre Philippe et les Athéniens. Le style de ses discours était subtil, son expression enjouée et son contenu pratique.

Guerrier de la Grèce antique ʊrtant un casque et un bouclier et i devait également tenir une lance.

Cette morale de "l'amour", qui visait à la sagesse, dans les relations particulières entre hommes, était la source d'une grande bravoure et le secret d'une amitié indissoluble. Aussi difficile que cela semble à comprendre aujourd'hui, cet "amour" ne comportait rien de trouble, de vicieux ou d'efféminé. Il ne s'agissait que de la puissance qui portait l'héroïsme et la bravoure à des niveaux admirables. Car "l'amour" apporte un souffle divin et rend les hommes si courageux, que non seulement ils ne se réfugient pas dans des actes choquants, mais qu'ils se battent avec encore plus d'ardeur. C'est effectivement dans l'amitié de ceux qui se rangeaient dans la bataille que résidaient le salut et la victoire des combattants. Une preuve magnifique de ces propos concernant la bravoure, nous est fournie par la bataille de Chéronée, où la garnison des Thébains tombe sur le champ de bataille. Ils étaient appelés "la compagnie des amants", de manière ironique de la part de ceux qui enviaient l'ascension de Thèbes.

Mais Philippe, le roi de Macédoine, vainqueur, ne put contenir ses larmes lorsqu'il se trouva face aux trois cents corps inanimés. Ils étaient tous morts, jusqu'au dernier, après avoir combattu courageusement, tous blessés à la poitrine. Profondément ému, Philippe déclara: ***"que le malheur emporte ceux qui laissent supposer que de tels hommes aient pu commettre ou accepter tout acte ignominieux".*** Il se peut que le Ve s. de l'époque classique soit célèbre pour sa démocratie et pour la liberté dont jouissaient les citoyens. Cela ne signifie cependant pas qu'il y régnait une atmosphère de relachement moral, comme certains semblent vouloir le montrer. La loi contre l'homosexualité, qui a été conservée dans le discours d'**Eschine** intitulé "Contre Timarque" ne laisse d'ailleurs aucune interprétation possible:

Pièce en argent de Philippe
(IVe s. av. J.-C.)

"Si un athénien se révèle être un homosexuel passionnel, qu'il lui soit interdit d'être élu en tant que l'un des neuf magistrats, qu'il ne puisse être élevé au rang de prêtre, qu'il ne devienne pas mandataire de la municipalité, qu'il ne soit chargé d'aucune fonction à l'intérieur ou à l'extérieur du pays, ni même fait conscrit, ou arbitre, qu'il n'exprime aucune opinion, qu'il ne pénètre pas dans les sanctuaires publics, qu'il ne porte pas non plus de couronne de lauriers lors des fêtes, comme c'est la coutume, qu'il n'aille pas dans les aspergès de l'agora. Et s'il se risque à commettre l'un de ces actes alors qu'il a été judiciarement reconnu homosexuel, qu'il soit puni par la peine de mort".

Socle en relief orné
de scènes d'athlètes, datant
du IVe s. et provenant de l'Acropole.

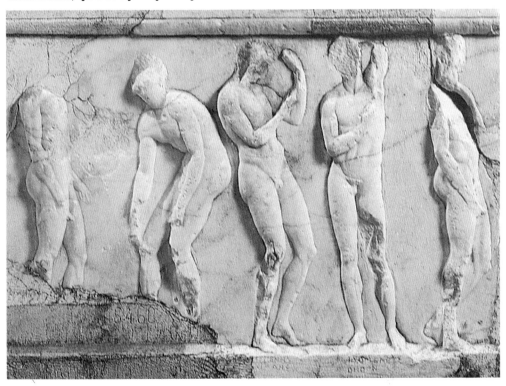

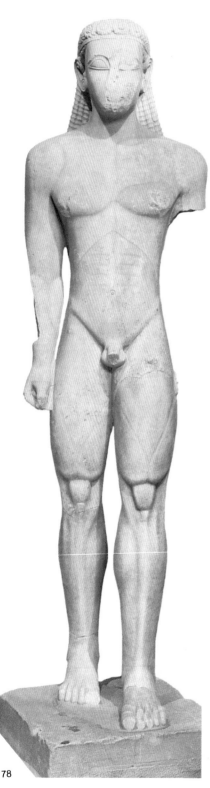

Quel Athénien aurait d'ailleurs voulu rester en vie dans une situation si déshonorante? Timarque, en raison duquel Eschine fit référence à cette loi, ne se révéla pas simplement être un homosexuel, mais ils se livrait également à la prostitution, puisqu'il recevait de l'argent. Ce dernier élément plongea les juges d'Élide dans la réflexion. Ils estimèrent en effet qu'un homme qui n'hésitait pas à vendre son corps, n'hésiterait pas non plus à vendre les intérêts de sa patrie.

Quels qu'aient été les faits, Timarque ne résista pas à une telle humiliation et il se suicida.

Avec des lois aussi sévères que celle-ci, le climat de permissivité imaginé par certains auraient donc difficilement pu régner. Toutefois, n'ayant pas l'intention de paraître cocardiers, nous admettrons que les relations homosexuelles entre hommes, comme toutes passions humaines, ont de tout temps existé. Prenant en considération le fait qu'une relation agréable entre deux personnes, est une affaire personnelle —et digne de respect–, la Grèce ne fait pas exception à la règle.

D'ailleurs, comment Aristophane aurait-il pu dans ses œuvres tourner en ridicule de tels comportements, s'ils n'avaient pas existé? Ces faits isolés ne constituent cependant en aucun cas une généralité, ils ne peuvent par conséquent pas caractériser la société grecque de l'Antiquité et il n'est en aucun cas possible que la Grèce soit considérée comme la patrie... de vices.

Dans le monde de l'Antiquité, ce titre était incontestablement revendiqué par Sodome et bon nombre de ses voisins. Les Grecs anciens estimaient que l'homosexualité provenait des Phéniciens.

Pour conclure, nous pouvons dire que l'estime du caractère viril dans la vie publique et privée, constitue le fondement de toutes les créations du monde de la Grèce antique, qui aussi longtemps qu'il y aura des hommes, sera l'objet d'admiration.

Le célèbre kouros archaïque de Sounion.

Adolescent jouant de la flûte et divertissant les convives d'un banquet.

6

AMITIÉS AMOUREUSES ENTRE FEMMES

Amour lesbien - L'amour de Sappho

Amour lesbien

Il est clair d'après tout ce que nous avons dit auparavant que dès les premières années de la création du monde, rien de ce que le corps humain pouvait connaître sur le plan érotique ne demeurait un mystère. Il en va donc

Femmes se livrant à un jeu qui fut considéré comme féminin.

indubitablement de même pour l'amour entre femmes. Le mythe du "Banquet" de Platon, dans son étude des relations humaines se référait également à ce type de rapports, afin de l'expliquer. Nous ne possédons cependant que quelques renseignements rares concernant ces relations particulières entre femmes. Le fait qu'elles aient été négligées par leurs époux, nous amène à penser que puisque la solution consistant à se tourner vers un autre homme était difficilement envisageable pour la plupart d'entre elles en raison du manque de liberté de mouvement auquel elles faisaient face, elles auraient par conséquent dû vivre dans une insatisfaction permanente, où se réfugier dans l'onanisme classique. Cette

supposition est renforcée par la présence de moyens artificiels encourageant cette attitude. En deux mots, à Milet, qui constituait le centre commercial de la richesse et du luxe, des artisans spécialisés fabriquaient des objets représentant l'organe masculin, réalisés en peau souple. Les hétaïres et toutes celles qui connaissaient l'existence de cet instrument et avaient les moyens de l'acquérir, l'utilisait afin de s'auto-satisfaire. En ce qui concerne la relation amoureuse entre femmes, nous savons que sa dénomination "d'amour lesbien" ou de "lesbianisme", provient de l'île de Lesbos, où il est de notoriété publique que ce types d'amitiés féminines furent les plus fréquentes.

Femme découvrant un récipient rempli d'effigies phalliques, tandis qu'elle tient un phallus ailé ayant la forme d'un oiseau.

Sappho

Sappho est la plus grande poétesse lyrique de la période archaïque. Elle naquit entre 617 et 612 av. J.-C. Elle serait née à Mytilène ou à Éressos (à Lesbos), cette dernière étant plus probable. Sappho vécut à Mytilène et épousa le riche Cercyle, qui était riche et était issu de l'île d'Andros. Elle eut une fille nommée Cléide. Les bouleversements politiques l'obligèrent à s'exiler en Sicile. Elle revint à Mytilène en 585, veuve dès lors, et c'est à cette époque qu'elle créa un cercle avec ses amies et ses élèves. Ses poèmes sont écrits en dialecte éolien. Elle composait également des chansons. Elle fut la contemporaine de Pittacos, le tyran de Mytilène et l'un des Sept Sages, et d'Alcée qu'elle connaissait. Son œuvre est tout à fait remarquable et ses vers, mûrs et sensibles, possèdent une valeur diachronique.

Alcée

Poète lyrique originaire de Mytilène. Il connut son heure de gloire en 598 av. J.-C., et il était le contemporain de Sappho et de Solon. Avec son frère Antiménide, il prit part au mouvement de résistance contre le tyran de l'île, Pittacos. Les rares échantillons de sa poésie révèlent qu'il se rendit à Delphes et en Égypte. Il écrivit des poèmes à teneur politique et érotique, ainsi que des vers qui furent mis en chanson dans les banquets. Sa poésie est admirable et alors que ses vers sont brefs dans leur expression, ils contiennent de la douceur, de la force et de la majesté.

Lesbos est la patrie de la célèbre poétesse Sappho, à laquelle on attribue ces activités et leur diffusion. Étant donné que **Sappho** vivait en la compagnie de jeunes filles et cela à des fins d'enseignement, bon nombre de ses contemporains ou même des personnages plus modernes considérèrent que c'est elle qui institua cette attitude perverse parmi les femmes. Cela ne repose en fait sur aucune réalité, comme nous le verrons plus bas.

Les lesbiennes (nom qui était donné aux femmes homosexuelles), étaient également appelées "trivadès" dans l'Antiquité (trivo signifiant frotter). Elles prenaient part aux étreintes amoureuses avec leurs congénères. Il n'existe pas de représentations relatives à ce phénomène sur des vases, car il semble que le phénomène ait été assez limité et il ne présentait en outre aucun intérêt particulier pour les artistes de l'époque. Parmi les dialogues de Lucien, il en existe un caractéristique, entre deux amies Klonarion et Léaina, qui décrit de manière relativement claire des relations analogues:

"Klonarion: quels sont ces rumeurs étranges que l'on m'a rapportées sur toi, Léaina? On dit que la riche Mégille, de Lesbos, s'est éprise de toi comme d'un homme et que vous dormez ensemble et faites je ne sais quoi d'autre. Ah, tu rougis je vois. Tout cela est donc vrai?

Léaina: C'est la vérité Klonarion, j'ai honte de te l'avouer mais il s'agit là de quelque chose d'étrange.

Klonarion: Au nom de Déméter, que dis-tu là? Que veut-elle de toi? Que faites-vous? Ne veux-tu pas me le dire? Est-là donc ton amitié?

Léaina: Je te considère comme une amie entre toutes, mais que te dire? Cette femme à des appétits très masculins.

Klonarion: Je ne comprends pas est-ce une lesbienne? On dit qu'à Lesbos il y a de nombreuses viragos qui ne veulent pas le faire avec des hommes mais qui vont avec des femmes comme si elles étaient des hommes.

Léaina: Elle est elle-aussi une femme de ce genre.

Klonarion: Alors raconte-moi...

Léaina: Elle dînait avec Démonasse la Corinthienne... lorsque l'heure passant et alors qu'elles étaient ivres, Mégille me dit: "Il est l'heure d'aller au lit, reste dormir avec nous Léaina, nous te mettrons entre nous".

Klonarion: Tu es restée? Et qu'est-il advenu?

Léaina: Au début elles m'embrassaient comme des hommes... Ensuite Mégille... a enlevé une perruque que je n'avais pas soupçonnée et elle est apparue tondue à ras, semblable à un puissant athlète. Je fus prise de peur.. As-tu déjà vu plus beau jeune-homme? me demanda-t-elle. Je ne vois ici aucun homme, répondis-je.

Ne m'appelle pas par un nom de femme - je suis Mégillos et j'ai épousé Démonasse. Je ne pus m'empêcher de rire, Klonarion.... Mais tu as donc cette chose que possèdent les hommes et tu fais à Démonasse ce qu'il convient. Je ne l'ai pas, dit-elle, mais je n'en ai guère besoin... Es-tu herma-phrodite, demandai-je... Non répondit-elle... viens et tu ver-ras. Je ne pus que la laisser faire, puisqu'elle me suppliait...

Klonarion: Mais qu'a-t-elle fait finalement?
Dis-moi, je veux savoir.

Léaina: N'en demande pas plus. Cela est si indécent que par Aphrodite, je ne te dirai rien d' autre".

Les Muses sont au nombre de neuf, disent certains, quelle erreur. Il en existe une dixième il s'agit de Sappho de Lesbos.

Platon

Deux hétaïres nues. L'une, en position assise, caresse le pubis de celle qui est debout. Il s'agit d' une représentation très rare datant du Ve s. av. J.-C.

*Ma mère m'a dit une fois,
ma chère Cléïde, que pour une
enfant de ton âge, une belle
parure est, de lui nouer les
cheveux avec des rubans rouges
assortis. Mais si celle-ci a les
cheveux blonds, plus lumineux
que l'éclat des flambeaux,
ce sont alors des couronnes de
fleurs qu'il lui faut...*

Sappho

L'amour de Sappho

*N*ous avons pu voir dans le concept de "pédérastie" que l'initiation de l'adolescent à la vertu par l'un de ses compagnons plus âgés, comprenait tout ce qui était indispensable au façonnement de la personnalité d'un homme. Les femmes étaient en revanche tenues à l'écart de la vie sociale, et leur culture n'était pas considérée comme utile à la vie publique ou pour l'acquisition de la vertu. La question consistant à savoir quelle serait la mesure à adopter pour mettre en valeur les qualités féminines restait par conséquent sans réponse.

Sappho fut la première à avoir osé faire de l'amour saphiste un instrument visant à la culture des belles jeunes-filles de Lesbos, suivant le modèle de la "pédérastie" masculine. Des écrivains de l'Antiquité, rapportent qu'à Lesbos comme dans toute la région d'Éolie, les conditions culturelles étaient réunies afin que la femme puisse se réaliser dans d'autres domaines que les tâches domestiques. À Lesbos, il était très fréquent et tout à fait avant-gardiste pour l'époque, d'organiser des concours de beauté. Ces concours avaient lieu chaque année dans le sanctuaire d'Héra, en même temps qu'une série de cérémonies et de sacrifices. Il s'agissait donc d'une manifestation en quelque sorte semblable au Jeux Olympiques: on pouvait voir des athlètes rivaliser dans leur domaine.

Les jeunes filles de cette époque lointaine s'affrontaient, en l'honneur d'Héra, dans les domaines de la beauté, la grâce, le chant, la danse et même la course. Ainsi, alors que dans le reste de la Grèce les femmes vivaient confinées dans le gynécée, à Lesbos les conditions étaient réunies pour le développement des qualités féminines. Le cercle des élèves de Sappho n'était pas le seul du genre, puisque d'autres femmes réunissaient autour d'elles des jeunes-filles, mais il était toutefois le plus important. On dit par la suite à son sujet qu'elle était à ces jeunes filles ce que Socrate représentait pour ses élèves.

*Femme tenant un miroir. IVe s. av. J.-C.,
Musée archéologique de Taranta, Italie.*

Alcée et Sappho sur un vase attique datant de 470 av. J.-C. environ. (Munich, Collection Nationale d'Antiquités et de Sculptures).

*Stèle en marbre ornée d'une korê
en relief, provenant probablement
de Paros. Elle tient une boite dont
le couvercle gît à terre. Son peplum
est ouvert sur le côté.*

Face à une société régie par les hommes et où la bravoure guerrière constituait la qualité suprême, Sappho osa opposer le lyrisme de la sensibilité féminine grâce à ses vers délicats:

**Certains disent de l'armée, et d'autres
de la cavalerie ou des navires
que sur cette pauvre terre, c'est ce qu'il y a de plus beau
mais moi je dis que c'est là où chacun aime...**

Sappho fut accusée d'homosexualité féminine, d'amour lesbien tel que nous l'avons décrit plus haut. Ces accusations ne furent cependant jamais prouvées et ceux qui émirent de tels griefs fondèrent leur jugement sur la prose de la poétesse, dont on ne possède que quelques extraits, qui ne prouvent eux-même rien du tout. S'il existait de sa part un "amour" quelconque envers les jeunes-filles, il ne s'agissait que d'un sentiment semblable aux modèles platoniens, un amour inaccompli sur le plan charnel. La vie choisie par Sappho était loin d'être en marge de la société. Elle se maria, donna naissance à une fille nommée Cléide, elle s'éprit de plusieurs hommes et c'est finalement pour l'amour de l'un deux qu'elle trouva la mort. Les jeunes-filles qui faisaient partie de ses élèves apprenaient la danse, la musique, les secrets des charmes féminins, les bonnes manières, le savoir-vivre et c'est d'ailleurs dans cette optique que leurs parents les confiaient à Sappho et non pour qu'elles apprennent les secrets de l'amour, comme le prétendaient certains. Cela aurait d'ailleurs été extrême, même pour Lesbos et la région d'Élide où on assistait à une certaine évolution des mœurs féminines, et aucun parent n'aurait consenti à lui confier sa fille.

Ces jeunes-filles se préparaient donc au mariage. Sappho participait souvent au rituel de la cérémonie de mariage de ses élèves. La nostalgie et le chagrin que laissent percevoir ses poèmes, n'expriment que les sentiments tout naturels d'une femme plus âgée, d'un professeur qui a vu grandir auprès d'elle depuis la plus tendre enfance, une fille qui part pour commencer une vie nouvelle aux côtés de son époux ou qui s'en va vivre ailleurs. Le fait de louer la beauté, l'amour et la vertu n'était-il pas en parfait accord avec les valeurs du monde masculin? Et "l'amour" tel que nous l'avons défini dans le chapitre "propos sur l'amour", n'était-il pas socialement admis? Une femme à la personnalité si clairvoyante constituait cependant au VIe siècle av. J.-C. une provocation pour son époque.

Ses contemporains la considéraient avec méfiance, car elle parlait sans retenue de ses sentiments. La liberté que dégageait chacune de ses œuvres était une chose inhabituelle pour l'époque et face à l'absence de toute autre initiative, elle ouvrait généralement la voie à des commentaires malveillants. L'amour que vouait Sappho à Phaon, lui fut fatal. Strabon, aussi bien que Ménandre, indique que l'île de Leucade, ou se réfugia la poétesse, abritait le temple d'Apollon Leucate et la marche depuis laquelle s'effectuait le célèbre "saut dans la mer". C'est à cette solution tragique que les amoureux malchanceux avaient recours afin de se délivrer à jamais du chagrin de l'amour. C'est de là également que se jeta Sappho, ne pouvant supporter l'impasse sentimentale dans laquelle elle se trouvait. Ces vers délicats, nous offrent encore, bien des siècles plus tard, un souffle de fraîcheur rare:

Pomme tu me sembles sucrée, au bout de la branche
en haut de laquelle tu as rougi, loin de la main de l'homme
- Crois-tu qu'on l'ait oubliée lors de la cueillette?
- Non, on ne l'a point oubliée. On n'a pu l'atteindre.

"Le saut de Sappho
dans la mer" (gravure).

Sappho en compagnie de ses
élèves.Coupe attique de 440-420 av.
J.-C., du peintre de vases Polygnote.

Anacréon

Poète lyrique né sur les rivages d'Asie Mineure, dans
la ville ionienne de Téo. Il vécut au VIe siècle av. J.-
C. Dès son plus jeune âge, il quitta la région
d'Ionie et s'installa en Thrace, à Abdère,
où il prit part à de nombreuses batailles
et à des événements qui influencèrent
fortement bon nombre de ses poèmes.
Il connut l'agrément des banquets
auxquels il se réfère, à la cour
de Polycrate, le maître de Samos.
Il vécut plus tard à Athènes,
près du tyran Hipparque.
Son œuvre est rédigée en
dialecte ionien, mais elle
contient également au
niveau de sa poésie des
éléments éoliens, dûs à
l'influence de Sappho et
d'Alcée.

Aristippe
le Cyrénien

Philosophe grec,
fondateur de l'école
cyrénaïque. Il vécut
vers 435-355 et fut tout
d'abord l'élève de
Protagoras. Il devint par
la suite le disciple de
Socrate, sans pour
autant se conformer à
l'ensemble de sa
philosophie, mais en
suivant uniquement le
principe selon lequel la
connaissance a une valeur
quelconque pour l'homme
seulement si elle vise des
fins morales et pratiques.
Dans ses concepts, il identifie
la vertu au plaisir auquel il accède
par la sagesse.

Épicure

Grand philosophe grec, qui fonda sa
propre école philosophique. Il naquit à Samos
et vécut de 341 à 270 av. J.-C. Il était citoyen
athénien. Peu de choses ont été conservées
de son œuvre gigantesque. Selon les précepts
de sa philosophie, le but de la vie est la quête du
plaisir. Non pas du plaisir charnel fugace, mais du
plaisir visant à éviter toute douleur corporelle et tout émoi.

Théognis

Grec ancien, poète élégiaque dont la naissance est située vers le milieu du VIe siècle. Il était originaire d'une famille aristocratique de Mégare. Les vers qui ont été conservés révèlent l'attachement qu'il vouait à une morale grecque traditionnelle. Il prêchait le respect envers les dieux et les parents ainsi que la modestie. Il se laisse toutefois entrainer par l'amertume, la douleur de l'âme, l'esprit de revanche, mais aussi par la sensibilité délicate de l'amour. Il fut considéré comme inconstant et partial, en raison de ses convictions aristocratiques. Il nous a cependant légué la vision du monde magnifique d'un côté majeur de la réalité grecque de l'époque.

Ménandre

Poète athénien, auteur de comédies, qui vécut au IVe siècle av. J.-C. Il naquit à Athènes en 342 av. J.-C. Il est considéré comme le plus grand représentant de la comédie attique moderne. Sur le plan philosophique il fut influencé par Théophraste et surtout par Épicure. Son œuvre fut importante. Il écrivit plus de 1000 comédies, dont aucune ne fut malheureusement sauvegardée entièrement.

Strabon

Géographe de l'antiquité, qui naquit en 64 av. J.-C., à Amèse, dans le royaume du Pont et mourut en l'an 19 av. J.-C. Il voyagea dans la plupart des régions du monde évolué de l'époque et il s'était lié d'amitié avec les hommes les plus remarquables de son temps. Il écrivit "mémoires historiques", mais son œuvre la plus célèbre est "Géographie", qui grâce à sa sagesse et à sa méthodicité, concentre de nombreux renseignements significatifs.

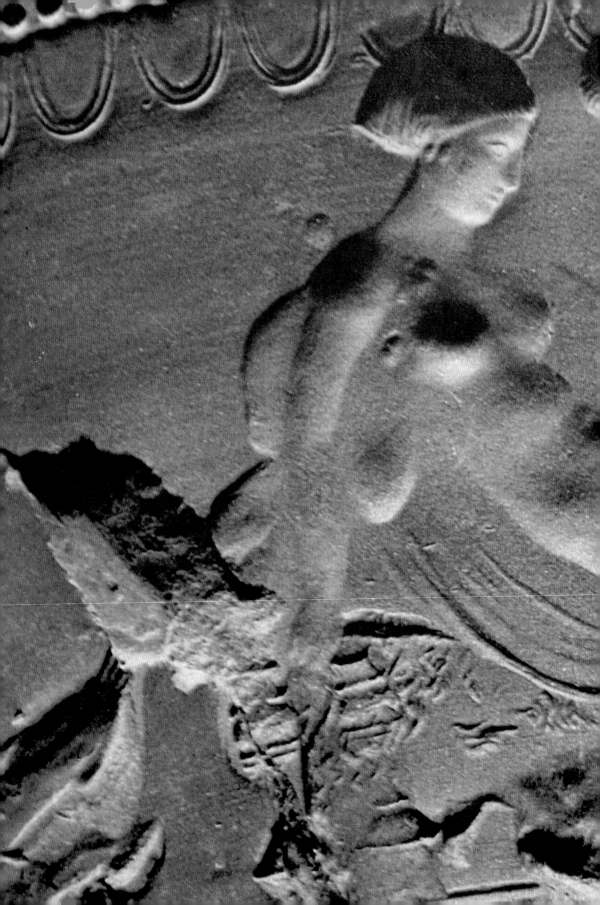

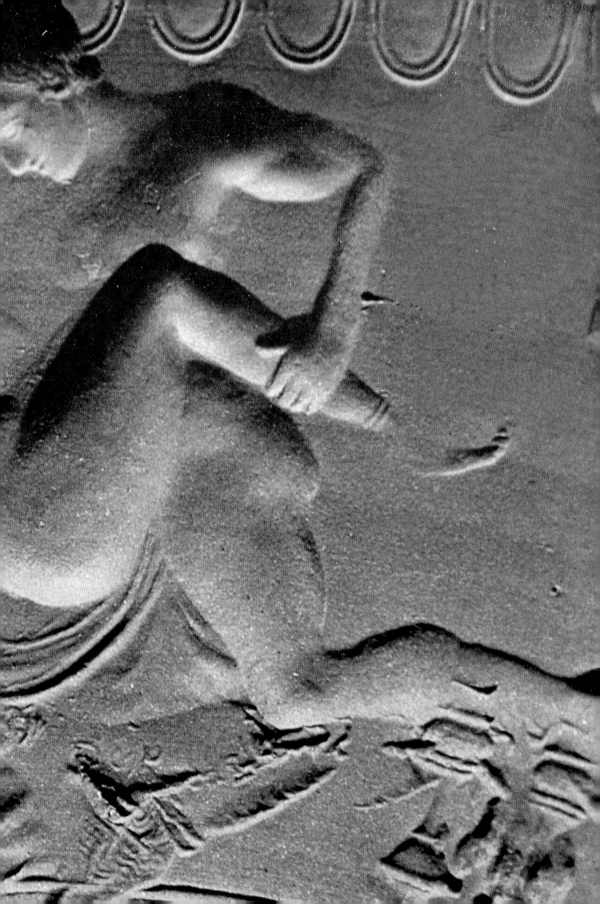

Ce qu'il

Dans ce voyage dans le monde grec antique, nous nous sommes arrêtés sur les points considérés comme les plus représentatifs des périodes de prospérité pour notre sujet. Peut-être avons nous involontairement plongé dans la réflexion certains d'entre vous, en accordant une part importante à la théorie et en précisant des notions philosophiques, avant d'entrer dans les détails pratiques de l'amour. Il nous semble cependant qu'il convenait impérativement de clarifier ces points, afin de délimiter correctement un tel sujet. Certains penseront peut-être que "pour l'homme du peuple, pauvre, inculte, celui qui ne pouvait appréhender les grandes notions, l'amour n'existait pas." Bien sûr qu'il existait! Il tombait amoureux et peut-être se mariait il le plus souvent par amour. Les romans à l'eau de rose n'existaient malheureusement pas à cette époque et on ne possède donc aucun écrit à ce sujet. Mais s'ils avaient existé, ils auraient sûrement été semblables à ceux de tous les autres coins de la terre, et notre regard ne se serait alors probablement pas porté sur l'antiquité grecque. Sans oublier de mentionner le contexte social général, nous nous sommes toutefois plus penchés sur les personnages qui furent à l'origine du miracle grec. Les gens plus simples vécurent eux-aussi ce miracle, quelle que soit la façon dont ils y aient participé. Les lieux publics avec leurs superbes édifices et leur chefs-d'œuvre magnifiques étaient ouverts à tous. Grâce au régime démocratique, tout le monde avait accès à l'agora, où les orateurs venaient s'exprimer et à la tribune où montaient les grands politiciens. Ils prenaient part aux mécanismes démocratiques concernant l'élection de leurs dirigeants. Ils vivaient donc dans "l'amour" du beau. Mais ni eux, ni leurs inspirateurs n'auraient pu imaginer que le flambeau de leur sagesse éclairerait jusqu'à aujourd'hui la marche de l'humanité.

en reste

Si nous avons dès le début souligné la nécessité de ne pas tomber dans des préjugés stériles, c'est que quels que soient les points faibles que nous ayons pu observer dans le monde antique, non seulement aucune autre civilisation de l'époque ne soutenait la comparaison, mais celle-ci possédait en outre certains points forts qu'il conviendrait de placer au premier plan aujourd'hui encore, afin de nous assurer une vie meilleure. Les intellectuels de l'Antiquité, de Platon à Aristote et d'Épicure à Plutarque, laissèrent tous leur propre empreinte dans le façonnement du monde antique, pour finalement arriver peu à peu à l'époque actuelle, après de nombreux changements et plusieurs évolutions de la société. Nous vivons à une époque où il faut malheureusement déployer bien des efforts pour appréhender ces valeurs. Quels que furent les changements, jetons cependant un regard en arrière afin de voir ce qu'il en reste: l'antique Éros (Amour), le Grec, ne fôlatrait pas uniquement dans les autels d'Aphrodite et chez les prêtresses de l'amour. Il fit don de ses ailes afin de glorifier la beauté féminine et l'amour voué à la femme, à travers le personnage d'Hélène. Il donna son éclat à Achille afin que ce dernier ne devienne pas seulement le plus beau, mais aussi le plus courageux et le plus courtois des Achéens. Dans des moments de frénésie spirituelle intense, cet amour ressurgit à travers la théorie de la philosophie platonicienne. Ici, en Grèce, l'Amour perdit son caractère indigne, pour devenir l'aspiration spirituelle à la beauté et la vertu éternelles. Il s'agit d'un amour qui par l'union des corps convoite plus que toute autre chose l'immortalité, à travers ses descendants, et qui sur le plan spirituel unit des âmes parfaites desquelles naissent des règles saines quant au fondement de la vie. Oui, cet Amour naquit en Grèce. Il n'aurait pu choisir une patrie autre que cette terre qui fut dotée de toutes les grâces et les vertus divines, avec un amour éternel.

index des noms principaux

notre bibliographie

Platon: "Banquets"
Xénophon: Mémoires, Banquet,
République Lacédémonienne
Démosthène: "Contre Néaïra"
Lucien: "Dialogues de Société", "Sur la famille"
Aristote: "Constitution d'Athènes"
Athénéos: "Le dîner des sophistes"
Aristophane: "Les nuées"
Plutarque: "Lycurgue" "Érotica"
Eschine: "Contre Timarque"
Théodose Vénizelos: "Sur la vie privée des Grecs anciens"
Brouwer: "Histoire de la civilisation morale et religieuse des Grecs"
K. J. Dover: "Greek Homosexuality"
Marion Giebel: "Sappho"
P. Darblay: "Les hétaïres célèbres"
E. Deschanel: "Les courtisanes grecques"
Dufour: "Histoire de la prostitution"
Hans Licht: "La vie sexuelle dans la Grèce Antique"
H. I. Marrou: Histoire de l'Éducation dans l'Antiquité"
L. Schmidt: "La morale des Grecs anciens"
Robert Flacelière: "L'amour en Grèce"
Robert Flacelière: "La vie quotidienne en Grèce au siècle de Périclès".